SPARTACUS

Historien, scénariste et romancier, **Claude Merle** a écrit
une cinquantaine de romans historiques
édités par Bayard, Hachette, Nouveau Monde et Intervista.
Il est aussi l'auteur de huit essais historiques chez Autrement.

Illustration de couverture : Miguel Coimbra

© Bayard Éditions, 2009
18 rue Barbès, 92128 Montrouge Cedex
ISBN : 978-2-7470-2651-2
Dépôt légal : mars 2009
Quatrième édition
Loi 49-956 du 16 juillet 1949 sur les publications destinées à la jeunesse
Reproduction, même partielle, interdite

Claude Merle

HÉROS DE LÉGENDE

bayard jeunesse

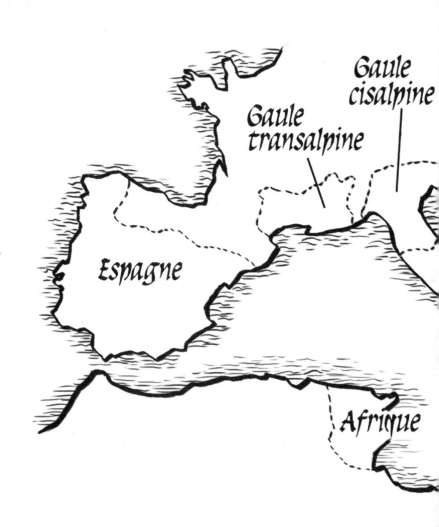

Provinces romaines à l'époque de Spartacus

Illyrie

Macédoine

Bithynie

Asie

Phrygie

Achaïe
(Grèce)

Cilicie

Guerre de Spartacus

GAULE CISALPINE

Plaine du Pô

Modène

Mer Adriatique

PICENUM

ÉTRURIE

Rome

Voie Appienne

Mont Gargano

APULIE

CAMPANIE

Brindes

Naples

Vésuve

LUCANIE

Tarente

Thurii

Mer Méditerranée

BRUTIUM

Messine

Reghium

SICILE

——————— Armée de Spartacus

- - - - - - Armée de Crixus

Introduction

En 73 av. J. C., Rome, qui a conquis une grande partie de l'espace méditerranéen, après avoir vaincu et détruit Carthage, sa rivale, doit faire face à de nouveaux périls. En Ibérie, Sertorius, l'un de ses généraux, se rebelle et crée une nouvelle Rome. En Orient, Mithridate, le roi du Pont, lui déclare la guerre et massacre quatre-vingt mille Romains. Contre ces ennemis, Rome envoie ses meilleurs généraux.

C'est alors que surgit un nouveau danger : la révolte de Spartacus. Ce berger, originaire de la Thrace, au nord de la Grèce, engagé de force dans l'armée romaine, puis condamné pour désertion à devenir gladiateur, réussit à soulever des dizaines de milliers d'esclaves et à former une solide armée. Ce n'est pas la première révolte à laquelle Rome doit faire face : soixante ans auparavant, Eunous avait rassemblé une troupe de deux cent mille esclaves et tenu en échec plusieurs armées romaines. Après lui, Try-phon et Athénion défièrent victorieusement leurs maîtres romains. Cependant, leurs révoltes avaient pour cadre la Sicile, une île à l'écart de l'Italie. Celle de Spartacus a lieu à dix jours de marche de Rome. Elle fait peser sur la cité une terrible menace...

Chapitre I

Le guerrier
76 av. J. C.

Publius Gallicus, centurion de la troisième cohorte, lance un regard d'ennui à son second, l'*optio**[1] Decius. Valeureux au combat, le sous-officier est d'une intelligence pour le moins limitée.

— Combien de déserteurs, dis-tu ?

Decius s'humecte les lèvres :

— Trois.

— Depuis quand ?

— Cette nuit.

Gallicus abat son poing ganté sur une torchère* de fer, qui se tord, s'écroule et vomit son huile. Le fracas attire un soldat de garde, qui bat aussitôt en retraite devant le regard meurtrier du centurion.

Après vingt ans de campagne en Orient, du sud de la Judée au nord de la Cappadoce, Publius Gallicus pensait que sa nouvelle affectation, en Macédoine, au nord de la Grèce, à la tête d'une cohorte d'auxiliaires*, allait lui procurer un répit bien mérité. Il s'est vite aperçu de son erreur : depuis des mois, ce ramassis de barbares ne cesse de lui pourrir la vie.

— Bien entendu, tu as lancé tes hommes à leur poursuite.

— Pas encore.

La réponse de l'*optio* est si étouffée qu'on l'entend à peine. Gallicus arrache ses gants et les jette à l'autre extrémité de la tente. Trois de plus !

— Qui sont ces canailles ?

---

1. Les mots suivis d'un astérisque sont expliqués dans le lexique page 187.

— Spartacus et deux autres.

— Le Thrace ?

Decius acquiesce à regret :

— Un bon soldat.

— Un bon soldat ne déserte pas !

— Excellent quintenaire*.

— Raison de plus pour faire un exemple ! Tu as perdu un temps précieux. Tu peux m'expliquer pourquoi ?

À travers l'ouverture de la tente, Decius montre les sommets enneigés :

— Spartacus est un montagnard. Ce pays est le sien. Il en connaît tous les chemins, tous les repaires…

Le centurion l'interrompt d'un geste brutal :

— Je ne veux pas le savoir : prends dix cavaliers et ramène-moi ces chiens, morts ou vifs. Vivants, de préférence. La punition que je leur réserve découragera dorénavant toute velléité de désertion.

L'*optio* frappe son pectoral* du poing droit, sort de la tente et aboie des ordres. Un quart d'heure plus tard, onze cavaliers et quatorze chevaux s'élancent vers le nord.

Decius ne se fait guère d'illusions : ses chances de retrouver la piste des déserteurs, dans ces montagnes, en plein hiver, sont minces, surtout dans cette zone hostile, le nord de la Macédoine. Toutefois, il a un plan. Il vaut ce qu'il vaut, ce plan. « Morts ou vifs », a dit le centurion. Gallicus ne plaisante pas : s'il échoue, Decius perdra son grade. Aussi, pour attraper Spartacus, il est prêt à tous les stratagèmes.

À vingt-cinq kilomètres au nord, l'un des fugitifs, Bessos, manifeste sa mauvaise humeur :

— Nous aurions dû prendre les chevaux.

Spartacus le dévisage avec une tranquillité qui l'exaspère.

— Les chevaux laissent des traces.

— Pas les hommes ?

D'un coup de menton, Bessos désigne Hector, le troisième déserteur. Pendant la traversée du col de Rupel, en pleine nuit, Hector a décroché de la paroi et fait une chute de dix mètres. Ses pansements sommaires n'empêchent pas le sang de s'écouler de ses deux jambes fracturées.

— Il vaudrait mieux l'abandonner.

Spartacus examine son compagnon étendu sur le sol de neige dure. La douleur creuse son visage. Mais il n'émet pas une plainte. Spartacus murmure avec douceur :

— Pas question.

Puis il ajoute :

— Tu peux partir, toi, si tu veux.

— Que vas-tu faire ? grommelle Bessos. Le porter sur ton dos jusqu'à Lara ? La ville est trop éloignée.

— Je vais le transporter sur une litière.

— Il va souffrir inutilement et crever avant d'arriver. On pourrait le cacher ici et avertir les bergers du mont Saurion, des Thraces comme nous. Ils le soigneraient.

— Les loups le trouveraient avant eux.

— Ou les Romains.

— Mieux vaudrait les loups, grogne Spartacus en tâtant les jambes du blessé.

Les lacets qui entouraient les éclisses* de la jambe droite ont cédé. Les os pointent. Hector doit endurer le martyre. Il halète comme un animal. La sueur coule de son front, malgré le froid.

Spartacus respecte le courage. Cependant il sait que l'homme va mourir. C'est folie de rester avec lui, Bessos a raison. Pour être hors d'atteinte, ils doivent franchir le Nestos, à deux jours de marche. Combien de temps leur faudra-t-il pour atteindre le fleuve avec un invalide?

Il se tourne vers Bessos et insiste:

– Pars vite!

Bessos hausse les épaules d'un air fataliste:

– On la prépare, cette litière?

Spartacus indique la forêt voisine:

– Deux longues branches, et des fibres, si tu peux…

– Si je peux!

Bessos empoigne sa hache et disparaît sous les arbres. Spartacus s'agenouille. Son regard croise celui d'Hector. Il va être obligé de remettre les os en place et de rattacher les attelles.

Avant d'opérer, il défait la ceinture de cuir du blessé et la lui glisse entre les dents. Aussi délicatement que possible, il enlève les lacets, ôte les lames de bois encroûtées de sang. Hector a fermé les yeux. Il laisse sourdre une plainte continue, bientôt couverte par le bruit de la hache maniée par Bessos.

Soudain, un son différent incite Spartacus à interrompre ses soins. Des hennissements! Bessos a dû les entendre, car la forêt est maintenant silencieuse. Puis un grondement très reconnaissable s'élève et se rapproche: celui d'une troupe de cavaliers. Spartacus saisit son épée à l'instant où les cavaliers surgissent au détour du chemin. Ils sont précédés d'un montagnard à pied. « Maudit traître! » La main de Spartacus se crispe sur son arme.

Il compte dix hommes, disposés en arc de cercle pour lui interdire toute retraite. Il ramasse aussi l'épée d'Hector et s'adosse à la roche.

D'un geste ironique, il salue Decius :

– Tu as fait vite !

– Rends-toi, exige l'*optio*. Tu n'as aucune chance !

Spartacus sourit :

– Quel sort me réserves-tu ? Le fouet ? La hache ? La croix ? Laisse-moi choisir ma mort, compagnon.

– Tu sais que je ne peux pas.

Le regret est sincère. Mais la détermination se lit dans les yeux de Decius. Sur un signe de lui, trois cavaliers glissent à terre et se dirigent l'épée à la main vers le déserteur. Spartacus a baissé les bras, ses lames pointées vers le sol, comme s'il se résignait à se rendre.

Son attaque est fulgurante. La première épée atteint le soldat le plus avancé entre son casque et son plastron de cuir. La seconde tranche un bras imprudemment tendu.

Deux hommes gisent à terre, Spartacus bondit sur le troisième protégé par son bouclier. Il lève son épée quand il entend un sifflement. Une ombre voile le soleil. Le temps de lever la tête, un filet s'abat sur lui, un de ces treillis de corde que les montagnards utilisent pour capturer les fauves. Le guerrier se débat en vain : les mailles sont à toute épreuve, et les auxiliaires se ruent sur le prisonnier pour resserrer les cordes. Deux d'entre eux lui arrachent ses armes et le rouent de coups jusqu'à ce que l'*optio* leur ordonne de cesser.

Recroquevillé dans son filet, Spartacus voit six rudes gaillards dévaler la pente. Ce sont eux qui l'ont pisté et pris au piège. Il ne s'interroge pas longtemps sur les raisons de cette alliance contre nature : les Thraces et les Romains ! Decius remet au plus âgé des montagnards deux glaives et deux chevaux. « C'est cher payé pour un barbare comme moi ! » pense Spartacus.

Il voit ensuite sans surprise un soldat mettre fin aux souffrances d'Hector en lui tranchant la gorge. Une mort miséricordieuse comparée à celle qui l'attend.

Chapitre 2

Le déserteur
76 av. J. C.

Les auxiliaires ont assisté à la flagellation. Le déserteur, les mains et les pieds entravés, a la tête prise dans une fourche. Au deux centième coup de verge, son corps n'est plus qu'un amas de chair pantelante. « Est-il enfin mort ou évanoui ? » se demandent les soldats. Ils en ont vu, des massacres, pourtant celui qui s'est déroulé sous leurs yeux les écœure. Deux jours auparavant, Spartacus était l'un des leurs. Un guerrier courageux, un homme indomptable. Il n'est plus qu'un misérable, sacrifié pour l'exemple.

Soudain, Publius Gallicus interrompt le supplice. Le bourreau laisse tomber ses verges ensanglantées et étire ses muscles fatigués. Le condamné est mort, la conclusion s'impose : Gallicus est un porc impitoyable.

Tandis que le centurion se retire sous sa tente, les sous-officiers ordonnent à leurs hommes de se disperser. Ils obéissent sans hâte. Certains, curieux ou compatissants, tournent autour du supplicié. Celui-ci tressaille-t-il ou est-ce une illusion ?

Le vent du nord venu des sommets enneigés anesthésie peut-être sa souffrance. Il ralentit l'hémorragie et il évite que des mouches s'acharnent sur les plaies.

— Le gaillard est increvable ! ricane un Germain à la haute stature et au plastron de cuir noir bardé de fer.

Son compagnon, un Gaulois à la chevelure longue et graisseuse, crache sur le sol :

— De toute manière, il va mourir.

La sentence doit être exécutée. Si Spartacus est vivant, la flagellation recommencera.

— Que Taranis foudroie ce maudit centurion ! grommelle le Gaulois.

Dans sa tente, Publius Gallicus examine avec méfiance son visiteur, un gros homme tout en sourires et courbettes. La toge dont il est vêtu ne masque pas son origine. Le teint bistre, les yeux soulignés au khôl, les doigts chargés de bagues dénoncent un marchand oriental. Le centurion en a rencontré des dizaines de son espèce au cours de ses campagnes.

Soupesant le sac de cuir posé sur un tabouret, il demande d'un ton rogue :

— Ces cinquante mille sesterces, c'est pour quoi, au juste ?

Une étincelle de malice s'allume dans les yeux noirs :

— Pour éveiller ton attention de façon agréable. Désolé d'avoir interrompu la cérémonie. Ton temps est précieux, le mien aussi : on m'attend au Pirée, le port d'Athènes.

Comme Gallicus, furieux, fait mine de l'expulser, le marchand ajoute :

— Je me nomme Zariapès, je suis originaire de Syrie pour te servir. Le procurateur* Albinus me connaît bien. Tu peux te renseigner. Je suis ici pour affaire.

— Parle ou va-t'en ! gronde le centurion.

— Je t'achète tes prisonniers.

— Cinquante mille sesterces ?

— C'est ce que je te propose.

— J'ai cinquante-deux captifs.

— Cinquante et un, rectifie Zariapès. L'un d'entre eux est mort.

— Je vois que tu es bien renseigné.

Le marchand ouvre des yeux candides :

— Tu ne voulais pas les vendre ?

Gallicus ne répond pas, il réfléchit. Il a convoqué les *mangones** comme d'habitude. Zariapès est le premier. D'un côté, la somme offerte est supérieure à celle qu'il escomptait pour la cinquantaine de survivants des tribus qu'il a pacifiées. D'un autre côté, il pourrait peut-être obtenir davantage. Cependant, Zariapès est pressé. Le laisser partir en attendant les propositions des autres marchands, c'est peut-être lâcher la proie pour l'ombre.

Gallicus pousse un tabouret :

— Assieds-toi et buvons.

Le marchand d'esclaves s'incline et refuse :

— Je dois prendre la route d'Athènes sans retard.

En disant cela, il jette un coup d'œil au siège dur et à la cruche de vin aigre. L'hospitalité des légionnaires ne l'a jamais tenté.

— Soixante mille, dit Gallicus.

Zariapès secoue la tête d'un air navré :

— Cinquante mille sesterces, et je prends aussi ton déserteur pour remplacer le prisonnier de guerre qui vient de mourir.

En disant cela, il fait tinter les pièces à l'intérieur du sac de cuir.

— Un mort à la place d'un mort, ironise le centurion.

— On prétend qu'il était bon soldat.

— Un déserteur n'est pas un soldat.

Zariapès lisse sa barbe noire et acquiesce :

— Tu as raison, ce n'est qu'un esclave. Quel est son nom ?

— Quel était, corrige Gallicus. Son sort est fixé. Il se nommait Spartacus, un Thrace.

Le marchand sort un rouleau de papyrus, un roseau et une fiole d'encre noire. Il inscrit le nom de Spartacus au bas d'une liste. Le centurion fronce les sourcils : l'Oriental lui force la main. Soupçonneux, il prend la bourse, la délie et la retourne sur la fourrure de son lit de camp. Du bout des doigts, il compte. La somme y est.

Zariapès lui tend le papyrus et un bloc de cire verte. Gallicus doit apposer son sceau sur le document pour conclure la vente. Il consulte la liste. Les cinquante-deux noms des prisonniers y figurent sans erreur. Qui lui a fourni ces renseignements ? Il fera une enquête, il sévira. En attendant, l'attrait de l'argent est le plus fort. Pour être aimable, il constate :

— Tu sais écrire !

— Je sais surtout compter.

L'ironie agace le centurion. Il fait chauffer la cire à la flamme d'une lampe à huile, la verse, retire sa bague et appose son sceau. Mais au moment de donner le papyrus, un dernier scrupule l'arrête :

— Pourquoi vouloir le condamné ?

— On prétend qu'il est courageux et parle le latin et le grec.

— Qui te l'a dit ?

— Je ne m'en souviens plus.

— À quoi te serviront le latin et le grec d'un moribond ?

— Jupiter ou Pluton décidera de son sort, soupire Zariapès, énigmatique.

— Tu connais notre religion ?

— Je suis citoyen romain.

— Toi ?

Pourquoi pas ? On accorde maintenant la citoyenneté à n'importe qui, même à un *mango*. Il suffit d'y mettre le prix.

Deux robustes esclaves attendent leur maître à quelques pas de la tente de Gallicus. Zariapès leur ordonne de libérer le condamné. Ils soulèvent le corps sanglant de Spartacus, dégagent avec précaution sa tête de la fourche.

— Couchez-le sur le ventre, conseille le marchand.

Gallicus ricane méchamment :

— J'espère que le barbare survivra. Les chaînes briseront son orgueil et lui enseigneront l'obéissance.

— Comptes-y, dit Zariapès d'un air satisfait.

Il évite les regards de haine des soldats qui observent la scène. Pour un guerrier, l'esclavage est pire que la mort. Spartacus n'a pas mérité cette infamie.

— Si je lui tranchais la gorge ? grince le Germain.

Le Gaulois regarde la dépouille du supplicié avec dégoût :

— Inutile, il est déjà mort.

L'autre montre ses dents de loup :

— Je parle du *mango*.

Chapitre 3

L'école de Capoue
mai 73 av. J. C.

Lentulus Battuatus sourit d'aise. Le temps est radieux, son bain à la température de l'air, sa toge parfumée à la sauge, et son miel de Sicile limpide, comme il l'aime.

La terrasse de ses appartements domine les pistes où s'entraînent ses élèves. Battuatus est un laniste*, directeur d'une école de gladiateurs, l'une des meilleures au monde d'après les connaisseurs. Ses champions se louent à prix d'or chez les mécènes de Rome, de Cumes, de Pompéi et de Brindes, les villes les plus riches d'Italie.

Depuis la création de cet établissement modèle, à la périphérie de Capoue, Battuatus a amassé une vraie fortune. Et l'avenir s'annonce plus prometteur encore. Son écurie compte deux cents gladiateurs. Ses huit nouvelles recrues ont l'air de tenir leurs promesses, surtout le Gaulois à la force herculéenne qui invoque ses dieux sanguinaires avant d'entrer dans l'arène. Le public aime les colosses.

Bien que de taille plus modeste, les autres révèlent des caractères bien trempés. On les jugera dans l'arène, face à la mort.

– Seigneur, Zariapès est ici.

Battuatus pose un regard affable sur son secrétaire, Oreste. Un affranchi d'une intelligence vive. La mémoire d'Oreste est prodigieuse, son sens des affaires remarquable. Il sait compter de tête et parle plusieurs langues. Seul un Grec peut réunir autant de qualités.

– Zariapès ?

– Le *mango*.

Battuatus fait la grimace :

– Lui, déjà ?

– Il est venu il y a six mois.

Le Syrien lui a vendu quelques esclaves, assez peu, en vérité. C'est un escroc, comme la plupart des marchands d'esclaves.

– Spartacus, rappelle Oreste.

– Je sais, je sais.

Zariapès lui a laissé l'esclave à l'essai, le temps de juger ses aptitudes. Battuatus a versé vingt mille sesterces à titre d'acompte. À présent, il doit en régler autant.

– Que penses-tu de lui ?

Oreste hoche la tête :

– Spartacus ? Katar estime qu'il n'a pas l'étoffe d'un champion.

Katar est le maître des instructeurs, un ancien gladiateur, détenteur de l'épée de bois, la récompense suprême, réservée aux champions, après vingt-cinq combats victorieux dans les principales arènes d'Italie.

– Et toi, quelle est ton opinion ?

– Il sait se battre, aucun doute, dit Oreste avec conviction. C'est un bon escrimeur et un excellent cavalier. Nous n'avons plus de gladiateur à cheval, il pourrait remettre cette discipline à l'honneur.

– Alors, quel est le problème de ce Spartacus ? C'est un lâche ?

– Au contraire : il ne craint ni les châtiments ni les privations.

– Un rebelle ?

Oreste acquiesce du bout des cils :

– Un homme dangereux, à surveiller de près, selon Katar.

– Dangereux ! Que demander de plus ? murmure le laniste avec bonne humeur. Qu'il purge sa haine dans l'amphithéâtre. Fais venir Zariapès.

Quelques instants plus tard, le Syrien rejoint Battuatus sur la terrasse. Il note au passage la beauté des deux jeunes femmes qui éventent le maître, évalue la vaisselle d'argent et la toge soyeuse de son client. Il lisse sa barbe et dissimule un sourire :

– Alors, que penses-tu de mon guerrier ?

Battuatus fait la moue :

– Guerrier, c'est beaucoup dire. Il n'a pas l'étoffe d'un champion. Dans le meilleur des cas, il servira de faire-valoir.

Zariapès se frotte les mains :

– Donc il t'intéresse.

– Certes, mais il ne vaut pas quarante mille sesterces.

Zariapès pousse un soupir :

– Dommage, tu passes à côté d'une bonne affaire.

– Vingt mille sesterces, c'est le prix.

– Il m'a coûté davantage, dit le marchand : l'achat, le transport, la nourriture, le médecin…

– J'ai examiné son dos. Ses cicatrices montrent qu'on l'a torturé bien des fois.

– On lui a enseigné la discipline.

– Disons qu'on la lui a infligée. Je n'ai pas l'impression qu'on la lui ait enseignée, raille le laniste.

– Que veux-tu dire ?

– C'est un homme dangereux.

Zariapès montre les quatre pistes où les gladiateurs s'affrontent :

— Ils le sont tous, non ?

— Le danger dont je parle est celui que ton Spartacus risque de faire courir à ma réputation. Le moment venu, il peut refuser de combattre ou bien insulter le public. Il est incontrôlable.

Les yeux du Syrien se plissent :

— Ce n'est pas lui, là-bas ?

Derrière les grilles qui entourent l'arène comme un enclos de fauves, Spartacus vient de terrasser son adversaire.

— Il ne semble pas rechigner à combattre.

Le laniste hausse les épaules :

— Avec des armes en bois, n'importe qui peut réussir un exploit.

Le Syrien agite ses doigts chargés de bagues.

— Je vois que l'esclave ne te convient pas. Tant pis. J'ai rendez-vous avec Marcellus.

— Le petit laniste d'Herculanum ? s'exclame Battuatus avec dédain.

— Je serais en droit de garder les vingt mille sesterces de ta caution, mais je vais te les rendre, continue Zariapès, bon prince. Je tiens à conserver nos bonnes relations. Fais préparer Spartacus, je l'emmène.

Battuatus dévisage le marchand avec un sourire incrédule :

— Tu essaies de me faire croire que Marcellus t'offre quarante mille sesterces ?

— C'est le prix.

— Comment réagira-t-il en apprenant que ton grand guerrier est un déserteur ?

— Tu es au courant ? murmure Zariapès.

— J'ai pour habitude de me renseigner.

— Alors tu dois savoir que le Thrace a eu une conduite héroïque à Paros, et qu'il a tué deux soldats avant d'être pris au piège.

— Trente mille sesterces.

À peine a-t-il lancé le chiffre, Battuatus comprend qu'il a commis une erreur. La bouche pincée d'Oreste, qui assiste à la négociation, le lui confirme.

— Quarante mille, dit le marchand avec douceur. Il te rapportera dix fois plus.

— Si tu te trompes, que Pluton te précipite au fond du Tartare ! grommelle le laniste.

Il fait signe à Oreste de verser au Syrien le reste de la somme. Celui-ci se garde de triompher. Il propose avec une fausse humilité :

— J'ai une esclave égyptienne versée dans l'art de la divination. Osiris lui révèle les secrets de la vie et de la mort. Je peux t'en consentir un bon prix.

Battuatus agite une main impatiente :

— Je connais tes prix d'ami. Je me souviens de ce qu'ils m'ont coûté. Restons-en là pour aujourd'hui.

Il tourne le dos au *mango* qui s'incline, la main sur le cœur. Toute la bonne humeur de Battuatus a disparu. Penché sur les pistes, il cherche Spartacus et le trouve occupé à se mesurer à la roue à pointes. La machine, inventée par un ingénieur phénicien, fait surgir des lames d'un gros cylindre qui pivote autour de son axe de plus en plus vite. Ces lames jaillissent au hasard. Le gladia-teur doit les éviter tout en frappant l'axe de bronze qui résonne comme une cloche. L'exercice est très dange-reux. Nombre d'athlètes y récoltent de graves blessures.

Spartacus se montre particulièrement habile à cet exercice.

— Adroit, souple, rapide…

Il a parlé à haute voix.

— Et intelligent, ajoute Zariapès. Sais-tu qu'il parle le latin et le grec en plus du thrace ?

— Bien entendu !

En réalité, le laniste l'ignorait, et la nouvelle ne le réjouit guère. Il n'est pas bon qu'un gladiateur soit trop intelligent.

« Dangereux », ajoute-t-il mentalement.

Chapitre 4

Gladiator
juin 73 av. J. C.

Le combat est inégal. Le rétiaire* est immense. Il manie son filet avec une adresse née d'une longue expérience. Son trident aux pointes de bois est aussi dur que le métal et presque aussi dangereux.

Face à lui, Spartacus a les armes réservées aux Thraces : un bouclier rond et un sabre recourbé. L'autre n'a aucun mal à le tenir à distance en attendant le moment propice pour l'envelopper. Une fois prisonnier du filet, le Thrace n'aura plus aucune chance.

Le rétiaire se nomme Afer. C'est un Numide de la région de Timgad, en Afrique. Un Noir immense aux longs cheveux retenus par un bandeau de cuir. Il a un frère, ou un cousin, rétiaire comme lui dans l'école de Battuatus.

Spartacus se contente de rester à distance du filet sans rechercher le corps à corps qui fait la force des Thraces. De temps en temps, il esquisse une attaque pour obliger son adversaire à réagir. Le but est de le fatiguer, d'émousser sa vigilance et de trouver une ouverture dans le barrage de mailles qui se dresse devant lui. Le Numide, de son côté, essaie de l'acculer à la grille pour le tenir à sa merci.

Le manège s'éternise. Sous le soleil de juillet, l'arène sans ombre brûle comme un four. Sous son casque de fer, Afer doit souffrir.

– Battez-vous ! s'impatiente Katar. Le *prolusio* est terminé !

Le *prolusio*, c'est le temps d'échauffement autorisé avant le début du combat.

Afer profite de la diversion pour lancer son filet. Spartacus l'esquive avec souplesse. Au lieu d'attaquer, il se contente de tourner autour du rétiaire.

– Au prochain combat, tu auras droit au fer ! lui crie Katar.

Le *doctor magister*, maître des entraîneurs, a pris Spartacus en grippe après avoir compris que son élève ne se soumettrait jamais. Le fer promis est le tisonnier ardent avec lequel les valets brûlent les gladiateurs timorés pour les forcer à se battre.

Spartacus salue ironiquement l'ancien gladiateur, puis il détourne le trident du rétiaire d'un revers de bouclier et abat sa lame sur la hampe. Si son sabre avait été en métal, il aurait tranché l'arme de son adversaire.

La riposte est immédiate : le filet d'Afer frôle l'épaule de Spartacus. Le Thrace roule sur le sol et frappe la jambe de son adversaire. Au lieu de poursuivre son avantage, il se relève et reprend ses distances. Le combat s'éternise. Il pourrait durer des heures si Katar ne l'interrompait pas. Fou de rage, il ordonne de lier Spartacus au pilier des repentirs, son lieu de tourments favori. Il gronde :

– Tu es un lâche, Spartacus. Mais je saurai t'obliger à combattre, fais-moi confiance.

Le gladiateur sourit :

– J'ai confiance, maître.

Le fouet plombé s'abat sur le dos de l'insolent sans lui arracher la moindre plainte. Katar le tuerait volontiers si le gladiateur ne valait le prix de trois étalons. Lentulus Battuatus déteste perdre de l'argent.

Le châtiment fini, comme Spartacus sourit encore, Katar le saisit aux cheveux et colle sa bouche à son oreille. Ce qu'il chuchote devait rester secret, mais il ne résiste pas au plaisir d'annoncer à l'esclave le sort qui lui est réservé.

– Tu vas mourir, chien de Thrace. Dans une semaine exactement. Huit paires de gladiateurs vont s'affronter dans la nouvelle arène de Capoue. Le noble Rullus, qui finance le spectacle, a promis du sang à ses électeurs. Tous les combattants seront sacrifiés, sauf le dernier. Et tu ne seras pas celui-là.

Tournant le dos au rebelle, il s'en va en riant tandis que ses aides détachent sa victime. Les autres gladiateurs ont assisté à la punition et remarqué le manège de Katar. L'air préoccupé de Spartacus les alerte.

– Qu'est-ce qu'il t'a dit ? demande Crixus.

C'est un Gaulois d'une vigueur extraordinaire. Lent, mais dur, tenace et courageux. À ses côtés, un autre Gaulois, Œnomaüs, et un Germain, Dragma, questionnent Spartacus du regard.

– Venez ! dit le Thrace.

Dix gladiateurs le suivent dans le rectangle d'ombre du mur d'enceinte. À voix basse, Spartacus leur raconte ce que lui a dit le magister. Ils l'écoutent, incrédules.

– Battuatus ne fait jamais ça, objecte Dragma.

– Il y a un début à tout.

La voix de Spartacus est amère. Kalanos, un Thrace comme lui, est pris d'un rire silencieux. Il chuchote :

– Katar s'est payé ta tête !

– Je ne crois pas, non, intervient Crixus. On m'a déjà parlé de ce combat extrême.

Le visage de Dragma se durcit :

– Tu le savais et tu n'as rien dit ? Qui t'a raconté ça ?

– Mila, la servante de Battuatus. S'il apprend qu'elle a parlé, il la tuera. Et puis j'ai pensé que c'était peut-être une fable. Maintenant, ça se précise…

— D'abord, rien ne prouve que nous ferons partie du spectacle, fait remarquer Antonius.

Antonius est un *auctoratus*, un homme libre qui s'est engagé auprès de Battuatus pour payer ses dettes. Artisan ruiné, il a préféré l'arène à la prison. À l'école, son statut est différent de celui des autres. Sans être esclave, il est forcé de combattre sous peine de mort. Mais, entre deux combats, il jouit d'une grande liberté.

— La maison n'est pas si mauvaise, plaisante-t-il.

Il est vrai qu'en dehors de certains châtiments corporels, les esclaves sont bien traités : leur nourriture est saine et abondante, leurs cellules sont propres. Lorsqu'ils se blessent, ils sont soignés par un médecin. Chaque jour, ils s'adonnent à une gymnastique qui s'inspire de celle des athlètes des jeux olympiques. Battuatus attache un grand prix à la beauté des corps de ses gladiateurs.

— C'est vrai qu'on est mieux ici que dans les mines d'Hafa, reconnaît Brac, un Germain, rescapé de l'enfer de Sardaigne.

— Tu penses échapper à la boucherie, dit Spartacus à Antonius. Cependant, tu n'as aucune assurance.

L'*auctoratus* hausse les épaules :

— Nous faisons tous partie des meilleurs gladiateurs. Le laniste refusera de sacrifier ses guerriers les plus précieux.

— D'après Mila, Rullus aurait proposé vingt millions de sesterces, murmure Crixus.

L'énormité de la somme les laisse sans voix. Œnomaüs crache sur le sol avec dégoût :

– De toute façon nous n'y pouvons rien.

Spartacus sourit d'un air énigmatique :

– Nous pouvons choisir notre mort.

Les hommes se taisent soudain pour laisser passer un instructeur. L'homme leur jette un regard inquisiteur : les rassemblements de gladiateurs sont toujours suspects. La nuit, ils sont enfermés dans des cellules séparées. Au réfectoire et aux bains, il leur est interdit de s'adresser la parole.

Dragma, Antonius et Kalanos font semblant de se séparer. Ils se regroupent lorsque l'instructeur a disparu.

– Choisir notre mort ? Que veux-tu dire ? demande le Germain.

– Nous sommes deux cents contre dix *doctores*.

– Deux cents guerriers désarmés, grommelle Antonius.

Les armes sont conservées par prudence en dehors de l'école. Quand deux gladiateurs doivent s'affronter au fer, un instructeur les leur remet, puis les reprend à la fin du combat.

– Et les soldats, tu y penses ?

– Ces ancêtres ?

Le regard de Spartacus se teinte d'ironie à la pensée des quinze vétérans recrutés par Battuatus.

– Tu envisages sérieusement une révolte ? dit Crixus. Quel est ton plan ?

Spartacus les dévisage l'un après l'autre, puis il s'adresse au Gaulois, le plus ancien des gladiateurs :

– Je vais te l'expliquer, mais d'abord, sache une chose. Je n'ai aucune intention de mourir dans l'arène pour distraire les Romains qui nous considèrent comme des animaux : les fauves le matin ; les esclaves l'après-midi. C'est une fin ignoble. Sur un champ de bataille, nous choisissons de vivre ou de mourir. Dans l'arène, c'est la foule qui décide. Je serais étonné qu'une telle mort te conduise au paradis des guerriers.

Crixus a écouté Spartacus sans l'interrompre. Puis il incline gravement la tête en signe d'assentiment. À sa droite, Œnomaüs s'impatiente :

– Parle, Spartacus. Dis-nous ce qu'on doit faire !

Chapitre 5

La révolte
juillet 73 av. J. C.

Crixus frappe le premier. L'un des instructeurs crispe ses mains sur son ventre. Le Gaulois l'a embroché avec tant de rage qu'il le soulève du sol. C'est le signal : les révoltés, armés de broches, de fourches, de lardoires* et de couteaux dérobés aux cuisines, se jettent sur les autres *doctores*. La plupart, pris par surprise, s'abattent avant de comprendre ce qui leur arrive. Seuls Katar et l'un de ses hommes résistent. Bientôt submergés par le nombre et la fureur de leurs assaillants, ils succombent à leur tour. Les cris ont alerté les vétérans. Pour le principe, ils pointent leurs pilums* vers les grilles en hurlant des ordres contradictoires.

– La porte noire, vite, dit Delia, la compagne de Spartacus.

Le portier, une lame sous la gorge, abandonne ses clés au chef des révoltés. La porte noire, bardée de fer, conduit à l'incinérateur vers lequel on évacue les ordures et les dépouilles des gladiateurs. Avant de passer le seuil, Spartacus compte ses compagnons. Soixante-quatorze sur deux cents et quatre jeunes filles. La majorité des gladiateurs observent la révolte sans y participer. L'aventure est trop dangereuse : les fugitifs sont condamnés à la crucifixion. Mieux vaut périr dans l'arène.

– Antonius ? crie Spartacus.

L'*auctoratus* fait deux pas en arrière :

– Je te souhaite bonne chance.

La porte noire déverrouillée, les rebelles se hâtent de sortir. Devant eux s'étend une cour fermée par un mur facile à franchir. Au-delà, c'est la campagne.

Crixus pointe le doigt : au loin, des centaines de soldats s'avancent le long de la voie Appia*. C'est la milice de Capoue. Dragma, un couteau entre les dents, rugit :

– Maudit traître, Antonius ! J'aurais dû l'égorger !

Rien ne prouve que l'*auctoratus* ait donné l'alerte. Mais son statut privilégié le rend suspect.

Ils prennent aussitôt leur course à travers les collines et couvrent six milles avant de s'arrêter.

– Où allons-nous comme ça ? demande Kalanos hors d'haleine.

– Le plus loin possible, répond l'un des fugitifs.

C'est un *andabata*, un de ces gladiateurs habitués à combattre à l'aveugle, le visage enfermé dans un casque de fer sans aucun orifice. Il lève la main pour réclamer le silence. Le visage levé, les narines palpitantes, il hume l'air comme un chien de chasse.

– Un convoi, assure-t-il.

Il précède les autres jusqu'au faîte d'une colline. Au pied du versant opposé, trois chariots s'avancent en cahotant, tirés chacun par deux chevaux. À côté du conducteur est assis un homme d'armes. Dragma flanque un coup de coude à Crixus :

– Voilà ce qu'il nous faut !

– Nous irons plus vite, dit le Gaulois.

– Et plus loin, jubile Œnomaüs.

Spartacus acquiesce :

– Contournons la colline. Ne vous montrez pas.

Ils font un détour à travers champs. Des esclaves y travaillent courbés, des chaînes rivées aux chevilles.

– Maintenant ! crie Spartacus.

Les gladiateurs surgissent devant les chariots sous les

regards ébahis des conducteurs. Les gardes se laissent désarmer sans résistance. Les cochers abandonnent leurs bancs.

– Regardez ce que nous avons là ! exulte Kalanos, la tête sous une bâche.

Les autres se précipitent pour découvrir un chargement d'armes et d'armures.

– Nous devons les livrer à l'école de Mamulius, explique l'un des gardes.

– Ta livraison est terminée ! rugit Dragma en s'équipant.

Debout sur un chariot, il lance les armes à ses compagnons.

– C'est un signe, dit Crixus.

Il lève son épée vers le ciel et hurle :

– Merci, Teutatès* !

– Avec ça, nous irons au-delà des mers ! lance Zarax, appuyé sur un trident.

– Tu ressembles à Neptune, fait remarquer Kalanos.

– Neptune ?

Zarax, qui mesure près de deux mètres, est un colosse stupide et pétri de bonté, vertu fatale pour un gladiateur.

– On ne va nulle part ! annonce Spartacus.

Les autres se tournent vers lui, stupéfaits.

– On ne fuit pas, on attaque !

Œnomaüs fronce les sourcils :

– Qui veux-tu attaquer ?

– Les Romains.

– Ils sont des centaines !

– Oui, mais nous avons l'avantage.

— Quel avantage ? demande Afer, sceptique.

— La surprise. Ils s'attendent à poursuivre un troupeau affolé. Dans les collines, leur bataillon va se désagréger tandis que nous formerons un bloc.

— Un bloc ! répète Crixus avec conviction.

— En outre, nous avons besoin d'armes, ajoute Spartacus.

Kalanos fait tournoyer son sabre :

— Des armes, nous en avons !

— Des armes d'esclaves ! dit Spartacus avec mépris. Il nous faut maintenant des épées, des lances, des boucliers, des casques de soldats. La garnison de Capoue nous en apporte. Allons-nous refuser ce que les Romains nous offrent si généreusement ?

— Non ! hurlent les révoltés d'une même voix.

Dragma désigne les hommes d'armes :

— Qu'est-ce qu'on fait de ceux-là ?

— On les tue, répond froidement Crixus.

Joignant le geste à la parole, il plonge son couteau dans la gorge du premier. Les autres sont expédiés de la même manière. Se jugeant perdus, les cochers se jettent à genoux. Le plus vieux les supplie :

— Nous sommes esclaves, comme vous.

— Tu ne l'es plus, décrète Spartacus en le relevant. Aidez-moi à dételer les chevaux.

Quand c'est fait, il saute en croupe et ordonne :

— Suivez-moi !

Sans hésiter, les autres s'exécutent. Crixus, le plus ancien, est le premier à lui obéir. Spartacus a été soldat. Il sait ce qu'il faut faire pour vaincre les Romains.

Cachés sous les arbres, au sommet d'une éminence, les rebelles observent leurs adversaires.

— Ils suivent la piste du nord, murmure Spartacus. Nous les attendrons là-bas.

Il montre du doigt une colline distante de six cents mètres environ.

— Ils n'ont pas d'éclaireurs, poursuit-il. Cela signifie qu'ils se sentent forts. À leurs yeux, nous sommes de vulgaires esclaves, sans courage et sans cervelle.

— Maudits chiens ! gronde Afer.

Ils serrent leurs armes à les briser. Même les quatre femmes ont saisi une épée. Il suffit de regarder leurs visages pour comprendre qu'ils ont tous abandonné l'idée de fuir, même si les Romains sont plus nombreux que prévu. « Quatre cents », estime Spartacus.

Après avoir caché les six chevaux dans une forêt de chênes, il conduit sa troupe en léger retrait du sommet où les Romains doivent logiquement déboucher. Tapis dans les buissons, ils attendent. Spartacus explique à voix basse :

— Ils souffrent de la chaleur et portent une lourde charge. Ils s'arrêteront pour souffler quelques instants en haut de la colline. C'est à ce moment-là que nous attaquerons. Un homme chacun. Tuez vite et ne vous arrêtez pas. L'ennemi à terre, dévalez la pente, massacrez-les. Ils n'auront pas le temps de se mettre en ligne. Frappez à la gorge, au-dessus de la cuirasse, et au visage.

Il se tait. Les premiers Romains surgissent au sommet. Ils ne sont qu'à quelques mètres. Comme l'a prédit Spartacus, ils s'arrêtent pour attendre leurs compagnons. Leurs visages sont congestionnés. Ils transpirent et respirent bruyamment. Trois d'entre eux ont appuyé leurs pilums contre un arbre. D'autres s'assoient.

— Attaquez ! commande Spartacus.

Il bondit aussitôt. Les Romains n'ont pas le temps de résister. Les premiers sont égorgés sans bruit. Quinze hommes gisent à terre lorsque résonnent les cris d'alarme. La horde des esclaves s'élance sur le versant de la colline avec des hurlements sauvages. Ils se jettent sur les soldats, bravant la mort. Les Romains, terrassés, roulent sur la pente. Zarax, armé d'une masse hérissée de pointes de fer, frappe avec des gestes de bûcheron et fracasse les crânes à travers les casques de cuir.

Les Romains lâchent leurs armes. Ils prennent la fuite, poursuivis par une meute furieuse. Les plus lents s'écroulent, frappés dans le dos.

— Revenez ! crie Spartacus.

Il doit répéter l'ordre à plusieurs reprises pour faire cesser la folie sanguinaire de ses compagnons et rallier la troupe. Crixus regarde avec approbation les esclaves achever les blessés avant de les dépouiller de leurs armures. D'un coup de botte, il projette le corps d'un centurion au bas de la colline.

— Ce n'est donc que ça, un Romain ? rugit-il avec un ricanement de mépris.

Les autres applaudissent et poussent des cris de joie.

— Ce n'est que ça, quatre cents Romains, dit Spartacus. Mais demain, ils seront des milliers. Prenez autant d'armes que vous pouvez en porter : nous allons en avoir besoin !

Chapitre 6

Le libérateur
juillet 73 av. J. C.

Spartacus examine le dos de l'esclave, strié de cicatrices, puis il pose la question traditionnelle :

— Tu sais te battre ?

Tout en continuant à masser ses chevilles marquées par les fers, l'homme répond laconiquement :

— Quand il le faut.

— À partir d'aujourd'hui, ce sera à chaque heure du jour, et jusqu'à ta mort.

— Ça me convient.

— Tu as déjà fait la guerre avant d'être berger ?

Le sourire de l'esclave révèle une mâchoire édentée. Il est grand et paraît robuste en dépit de sa maigreur.

— J'ai combattu chez les Rhètes, dans les montagnes du nord et au bord du Rhin.

Spartacus quête l'approbation de Crixus. Le Gaulois incline la tête.

— Quel est ton nom ? demande encore Spartacus.

— Argétorix.

— Un nom gaulois, dit Crixus soupçonneux.

— C'est celui qu'on m'a donné.

« Mille ! » calcule Spartacus. C'est le nombre de guerriers dont il dispose désormais après l'occupation du dernier latifundium*, une terre plus vaste que les vingt et un domaines envahis précédemment.

Entre Rome et Capoue, la Campanie est une province riche, transformée en pâturages par ses propriétaires, de nobles Romains préoccupés avant tout de rentabilité. L'élevage est d'un meilleur rapport que le blé. Aussi les pâtures ont-elles remplacé les champs. Seules les vignes et les oliveraies subsistent sur les coteaux exposés au sud.

Les milliers d'esclaves, bergers et laboureurs, qui travaillent sur ces terres offrent aux rebelles un immense réservoir de guerriers. En même temps, ils fournissent le ravitaillement, les troupeaux, le fourrage, les vêtements, les voitures, les outils et les armes récupérés dans les latifundia.

Toutes ces richesses, Spartacus les répartit équitablement entre ses hommes. Sauf l'or et les objets précieux, qui constituent un trésor de guerre.

— Emportez vos chaînes, ordonne-t-il. Nous avons besoin de métal.

Kalanos montre la file des chariots qui s'étire sur le chemin :

— Que vas-tu faire de ces tonnes de fer quand nous n'avons qu'un forgeron ?

— Non, deux, rectifie un homme en s'avançant vers les gladiateurs.

Crixus toise le petit homme d'un air sceptique :

— Tu veux nous faire croire que tu es forgeron ?

Dans l'esprit du Gaulois, un forgeron est un colosse aux bras musculeux et non pas un avorton vêtu comme un vacher.

— Le meilleur. Je me nomme Fabius. Interroge ces hommes.

Les esclaves libérés acquiescent avec chaleur.

— Tu sais sans doute forger des chaînes. Sais-tu aussi fabriquer des armes ? demande Spartacus.

Fabius incline la tête :

— Des lames dures et tranchantes. Je connais le secret de l'acier.

— Nous verrons, dit Spartacus. Tu peux rester parmi nous. Si tu nous as menti, je te renverrai à ton maître en lui conseillant de te jeter au fond d'un puits.

— Je reconnais ta mansuétude, plaisante le forgeron.

Les gladiateurs manifestent leur joie. Dans la situation dangereuse où ils se trouvent tous, la bonne humeur leur semble un gage de loyauté. Fabius en profite pour ajouter :

— J'ai besoin de mes aides.

Il montre deux robustes gaillards sanglés dans des tabliers de cuir. Crixus échange un regard entendu avec ses compagnons :

— Je me demandais comment ce nain pouvait battre le fer. Ses cyclopes me rassurent !

— Il ne suffit pas de travailler le fer, réplique le forgeron. Il faut l'aimer.

— Tu aimes le fer ? répète le Gaulois en caressant son épée. Alors, on est deux !

Au même instant, un groupe de rebelles traîne devant Spartacus un jeune homme à la tunique déchirée, aux genoux écorchés et au visage tuméfié.

— Qui es-tu ? demande le chef des gladiateurs.

— Un espion ! gronde un de ses tourmenteurs.

Le misérable secoue la tête avec désespoir :

— Un esclave, je suis un esclave comme vous !

— Un esclave traité comme un prince, ricane son bourreau.

— C'est Marcus, le précepteur des enfants du maître, précise un autre.

D'un geste, Spartacus calme les plus excités, puis il demande :

— Ces enfants, où sont-ils ?

Marcus fait un geste évasif :

— À Rome, sans doute, avec leurs parents.

— Pourquoi n'es-tu pas avec eux ?

— Je me suis enfui pour te rejoindre.

— Pour nous espionner ! rétorque l'un des esclaves.

— Au contraire ! proteste le précepteur. Je peux vous être utile. Je sais lire et écrire plusieurs langues…

— Nous avons besoin de guerriers, pas de pédagogues, l'interrompt Spartacus.

— Je peux vous aider à parlementer avec vos ennemis…

Dragma désigne son épée :

— Parlementer ? Nous avons déjà ce qu'il faut pour ça !

— Il n'y a pas de place pour les discours, ici, dit Spartacus. Nous avons le choix entre mourir au combat ou finir sur la croix. Un conseil : retourne chez tes maîtres qui te traitaient si bien.

Marcus se débat aux mains de ceux qui veulent l'expulser :

— Il est trop tard. En apprenant que je vous ai rejoints, ils me tueront. Je n'ai pas peur de mourir. Écoute-moi.

Son accent se fait suppliant.

— Quelques semaines de liberté valent mieux qu'une vie de servitude. Je suis né esclave. Je suis prêt à finir sur la croix pour ressentir, ne serait-ce qu'un jour, un seul jour, la sensation qui est la vôtre.

— Tu parles bien, reconnaît Crixus d'un air soupçonneux, trop bien même, à mon goût. Et si tu étais un espion comme le prétendent ces hommes ?

— Je suis un espion, c'est vrai… mais à votre service, ajoute Marcus précipitamment. J'ai des renseignements : le préteur* Clodius Glaber est en route avec une armée pour vous exterminer.

— Tu ne nous apprends rien, s'agace Kalanos. Nos informateurs nous ont déjà renseignés.

– Trois mille hommes, cent cinquante cavaliers, poursuit Marcus. Ils suivent la voie Appia. Ils se trouvent à quatre-vingts milles d'ici.

– Quatre-vingts milles : une semaine de marche, calcule Spartacus. Cela nous laisse le temps de choisir notre champ de bataille.

Dragma montre les centaines d'esclaves qu'ils viennent de libérer :

– Tu comptes affronter une armée romaine avec ces gens-là ?

Afer brandit vers le ciel sa *spatha*, une longue épée ibère :

– Nous l'avons fait à Capoue.

– C'était une milice, pas une armée, intervient Spartacus. Pour répondre à ta question, Dragma, non, nous ne sommes pas prêts à nous mesurer à une armée, du moins en rase campagne. Il nous faut une forteresse.

– J'en connais une, dit Marcus. C'est une montagne inaccessible.

Spartacus fronce les sourcils :

– Quelle montagne ?

– Le Vésuve.

– Je la connais, ajoute un berger. Il y a des vignes et de l'herbe pour les bœufs et les moutons. Le sommet est un nid d'aigle imprenable, c'est vrai.

– À quelle distance est-elle, cette montagne ? demande Spartacus.

Marcus montre le sommet qui se dresse au sud-ouest :

– Dix, quinze milles, peut-être.

– Là-bas, nous serons encerclés, pris au piège, fait remarquer Crixus avec réprobation.

Spartacus hausse les épaules :

– L'Italie entière est un vaste piège pour nous. Nous ne sommes pas encore assez nombreux ni entraînés pour nous battre. Mais ça viendra. En attendant, nous avons besoin d'un refuge.

Marcus est allé récupérer un rouleau de documents que lui ont arraché les gladiateurs. Il étale une carte sur le sol et commente :

– Nous sommes ici. Voici Capoue. Là, Neapolis, Herculanum et Pompéi. Le Vésuve se trouve à cet endroit, entre la voie Appia et la voie Latina.

Spartacus se penche sur le document. Au bout de quelques instants, il lève la tête. Son visage est dur, mais ses yeux sourient.

– Tu es peut-être utile après tout. Moins que tu ne l'affirmes, mais plus que je ne le croyais.

Il s'adresse à Delia qui sait lire dans les cœurs et dans les songes :

– Que penses-tu de lui ?

La jeune femme rejette ses cheveux noirs en arrière. Originaire du sud de l'Ibérie, elle est petite, brune, nerveuse, passionnée.

– Le précepteur ?

Sa voix semble si hostile que Marcus blêmit.

– Nous avons besoin d'un homme comme lui.

Le soupir de soulagement du précepteur amuse les gladiateurs.

– En route ! ordonne Spartacus. Nous devons atteindre le Vésuve avant la tombée de la nuit.

Chapitre 7

Sur les pentes du volcan
août 73 av. J. C.

Depuis son départ de Rome, le préteur Clodius Glaber essaie de faire bonne figure en présence de ses officiers. L'épreuve est parfois au-dessus de ses forces. Entre eux, l'animosité est grande et réciproque. Les soldats sont ulcérés de combattre cette bande de chiens galeux réfugiée sur la montagne.

En un sens, Glaber les comprend : être mobilisés pour mettre au pas une horde d'esclaves est une humiliation que les soldats n'ont pas méritée. Mais ils ont tort de le rendre responsable de cette avanie. Lui-même n'a pas sollicité cette mission. L'ordre émanait directement du Sénat, il n'a pu le décliner.

Il prend un ton froid pour s'adresser à son second, Maximus, un tribun* laticlave*, ancien sénateur, borné et arrogant :

– Combien de pertes ?

Le tribun lui jette un regard de reproche :

– Dix-huit morts et vingt-deux blessés. Les esclaves sont retranchés au sommet du Vésuve. Le chemin qui y conduit est étroit et malaisé. Aucune chance de les déloger. Selon moi…

Le préteur interrompt l'officier comme si son opinion était superflue.

– D'autres accès ?

– C'est le seul, grommelle le tribun, offensé. Partout ailleurs, les parois sont abruptes.

Glaber incline la tête :

– Bien. Inutile de tenter un nouvel assaut. Nous allons les assiéger. Puisqu'il n'y a qu'une voie pour monter il n'y en a pas davantage pour descendre. Tu vas bloquer le passage. Il ne faut pas qu'un seul de ces porcs nous échappe.

Maximus regarde son chef d'un air sceptique :

– Vu le nombre des chariots abandonnés, ils ont des vivres pour plusieurs mois.

– Ils sont bien armés, ajoute un officier. Le siège risque de durer longtemps.

– Combien sont-ils, à votre avis ?

– Mille, deux mille…, avance Maximus.

– Bien !

Glaber regarde le soleil implacable :

– D'après ce qu'on m'a rapporté, cette montagne est sèche comme le désert d'Afrique, et la pluie n'est pas pour demain. Ils ont des vivres, mais pas d'eau…

Il escomptait une victoire rapide. La situation ne s'y prête pas. Il attendra donc la reddition des rebelles.

– Amène-moi les prisonniers ! commande-t-il au tribun.

L'ordre transmis est aussitôt exécuté. Les soldats poussent une dizaine d'esclaves enchaînés et les forcent à s'agenouiller.

– Installez les croix face à la pente, dit Glaber.

Spartacus observe les Romains du haut d'un balcon de roche brune. Avec ses bottes, sa cuirasse, son glaive et son casque, il ressemble à l'un d'entre eux.

– Ils n'attaquent plus, constate-t-il d'une voix pensive.

Crixus crache un jet de salive dans le précipice :

– Ils se contentent de nous assiéger. Je t'avais bien dit qu'ils nous prendraient au piège. Il ne leur reste plus qu'à nous cueillir lorsque nous quitterons la montagne.

– On est bien, ici, soupire Zarax avec un large bâillement. Pourquoi partir ?

Le Gaulois lui montre la foule des esclaves installés dans le vallon herbeux qui occupe le sommet du Vésuve :

— Il ne fallait pas emmener tous ceux-là. Avec des milliers de bouches à nourrir et à désaltérer, nous ne tiendrons pas longtemps !

Œnomaüs approuve son compagnon :

— Nous n'avons plus d'eau.

Kalanos se penche au bord de la saillie :

— Il y a bien une source en contrebas, mais les Romains en interdisent l'accès.

— En huit jours, nous avons épuisé nos réserves.

— Et mangé tous les raisins, dit Afer.

— Certains parlent déjà de se rendre, fait remarquer Œnomaüs d'une voix sombre.

Crixus montre les croix dressées par le préteur :

— À leur santé !

Spartacus, silencieux jusque-là, murmure :

— Nous allons attaquer. Cette nuit ou bien la nuit prochaine.

Les autres le dévisagent, intrigués. Puis Dragma lui pose une question qu'il n'entend pas. Il poursuit son idée comme s'il réfléchissait à haute voix :

— Leur camp n'est pas fortifié…

Crixus hausse les épaules :

— Cent hommes gardent le chemin. La nuit, leurs feux illuminent la pente. Ils ont planté des harpons de fer dans le sol…

Spartacus interrompt son lieutenant d'un geste amical.

— Pas question d'emprunter le chemin.

— Partout ailleurs la paroi est abrupte. Par où veux-tu passer ?

— C'est le problème que nous devons résoudre.

— Deux cents pieds de roches lisses. Ce ne sont pas des guerriers qu'il te faut, mais des aigles ! ricane Kalanos.

— Des échelles…, murmure Spartacus.

De nouveau ils le regardent comme s'il rêvait. Pour façonner des échelles, il leur faudrait des kilomètres de corde !

Assis en cercle, ils discutent pendant des heures pour en revenir toujours au même constat : ils sont prisonniers, condamnés à mourir de soif. C'est alors qu'un berger, Caro, intervient :

— Les fibres de la vigne, on tresse des cordes avec. Je l'ai fait très souvent.

Œnomaüs lève les yeux au ciel.

— Des fibres ! Pourquoi pas des fils d'araignée ? C'est avec ça que tu comptes supporter le poids d'un gaillard de cette espèce ?

Il montre l'immense Zarax.

— Aucun problème, dit le pâtre. Avec les cordes dont je parle, on entrave les taureaux.

— Montre-nous ça, exige Spartacus.

Aussitôt, une trentaine d'esclaves, des bergers pour la plupart, se mettent à l'œuvre suivant les directives de Caro. Les uns épluchent les ceps. Les autres tressent les fibres et lient les cordes les unes aux autres. D'autres encore mettent en place les barreaux transversaux. Quand la longueur est suffisante, on attache l'échelle à un arbre. Zarax s'y suspend et saute de tout son poids. Elle résiste.

– C'est bien, conclut Spartacus. Il nous faut cinq échelles de cent mètres, et des cordes supplémentaires pour descendre les armes.

Le reste de la nuit et tout le jour suivant, plusieurs centaines d'esclaves travaillent sans répit. Quand il juge le résultat suffisant, Spartacus annonce :

– Nous attaquerons dans une heure.

C'est une nuit sans lune. L'obscurité est propice à la manœuvre. Après avoir touché le sol, au bas du précipice, Spartacus maintient son échelle pour faciliter la descente de ses compagnons. Trois cents esclaves se rassemblent au pied de la paroi. Ce sont tous des gladiateurs ou d'anciens soldats, ennemis de Rome et prisonniers de guerre.

Dans le plus grand silence, ils se répartissent les armes : glaives, poignards et javelots.

Pendant qu'ils progressent vers le camp des Romains, ceux qui sont restés au sommet de la montagne simulent une attaque pour distraire les soldats qui montent la garde. Ce vacarme ne trouble pas le campement de Glaber. Tout est paisible. Les sentinelles sont neutralisées sans difficulté. À la lueur des feux de camp, les rebelles distinguent les tentes. Ceux qui portent des uniformes romains y pénètrent et commencent à exécuter leurs ennemis endormis.

Près de cent légionnaires sont expédiés avant que l'alerte soit donnée. Alors, c'est la ruée. Les assaillants déchaînés envahissent le camp et massacrent tous ceux qui résistent encore. Clodius Glaber se sauve honteusement et son départ entraîne la déroute de ses hommes. Les Romains déplorent huit cents morts et six cents prisonniers.

Quand le soleil se lève, les rebelles savourent leur triomphe.

Après avoir dépouillé les morts et les prisonniers, ils se trouvent maîtres d'un véritable arsenal et d'un trésor de guerre. Marcus, chargé de faire l'inventaire du butin, énumère :

— Deux cent douze chevaux, deux mille deux cent cinquante glaives, trois mille javelots, des arcs…

— Combien d'arcs ? questionne Spartacus.

— Six cent quarante.

— Et de flèches ?

— Des milliers, deux cent vingt frondes, des balles de plomb…

— De quoi équiper toute une armée ! jubile Afer.

Spartacus lui fait signe de se calmer :

— Cette armée, il faut la former, l'entraîner. Mais d'abord, buvons !

— Comme si on t'avait attendu ! rugit Dragma, qui boit à même une amphore.

Le vin coule comme du sang sur son cou et sa tunique.

— Que faisons-nous des prisonniers ? demande Oppius, un gladiateur ibère.

— Pas de prisonniers ! gronde Crixus.

Spartacus fait taire les hurlements féroces de ses compagnons :

— Exécutez seulement les invalides. Les autres nous seront utiles.

— Pourquoi épargner les Romains ? s'insurge Crixus.

Une lueur ironique s'allume dans les yeux de Spartacus :

— Nous avons besoin de nos propres esclaves maintenant que nous avons libéré les leurs.

Chapitre 8
Naissance d'une légende
septembre 73 av. J. C.

– J'ignorais que vous étiez si nombreux !

La stupéfaction du visiteur n'est pas feinte : le campement s'étend jusqu'à l'horizon.

– Nous sommes trente mille, précise Spartacus avec une fierté non dissimulée.

L'homme est petit, brun, velu et robuste. Il est arrivé sur un chariot bringuebalant tiré par une mule, accompagné de son épouse et de ses deux filles.

– C'est donc toi Spartacus ! s'exclame-t-il, impressionné par la tente, les aigles*, les étendards, et la magnifique armure portée par le chef des rebelles.

Le regard de Spartacus est perplexe :

– Visiblement, tu es un homme libre. Que fais-tu ici ?

– Je suis libre, c'est vrai, confirme l'homme avec dignité. Je suis ici parce que je veux le rester. À cause de la politique tyrannique des grands propriétaires, les gens comme moi sont plus misérables que les esclaves. Je n'ai plus de travail. Pour nourrir ma famille, je suis obligé de mendier et de voler.

Spartacus hoche la tête. Des réprouvés de cette espèce, petits paysans spoliés de leurs terres ou artisans ruinés par la concurrence servile, il en a déjà recueilli des dizaines.

– Que sais-tu faire, dis-moi ?

– J'ai été cordonnier…

– Nous avons besoin de chaussures. On te fournira le cuir.

– Je suis aussi charpentier.

– Comment t'appelles-tu ?

– Charilaos.

– Eh bien, Charilaos, tu peux t'installer. Tu construiras ta maison. As-tu des outils ?

– Je n'ai plus rien.

– Demande à Marcus. Il te procurera ce qu'il te faut. Mais d'abord, emmène ta famille vers un de ces feux. On vous servira à manger. Tu sembles en avoir besoin.

L'homme se jette à genoux dans un élan de gratitude. Spartacus le relève avec brutalité :

– Pas de ça, ici ! C'est un geste d'esclave. Regarde autour de toi, tu ne verras que des hommes libres. Nous sommes tous égaux. Tous, tu entends ? Et si nous commandons, mes compagnons et moi, ce n'est pas pour dominer les autres, mais uniquement pour veiller sur cette liberté, pour la défendre et assurer le partage de tous les biens qui nous reviennent.

– Que nous pillons ! rugit l'un des gladiateurs.

– Que nous récupérons, rectifie Spartacus. Les galettes que nous mangeons, c'est le blé cultivé par les esclaves. La viande, ce sont les bêtes élevées par les esclaves. Nos vêtements ont été tissés par les esclaves. Il est juste que cela leur revienne.

Kalanos caresse la belle armure pectorale de Spartacus :

– Façonnée par les esclaves.

Spartacus réprime un sourire.

– Conquise l'épée à la main !

Charilaos regarde le chef de la révolte. Il parle sans haine, d'une voix paisible, comme s'il énonçait une évidence. Malgré son armure, et le bracelet qui orne son poignet, pris à un officier romain, sans doute, l'homme est modeste. Ce n'est pas un géant, il est même petit comparé aux colosses de son entourage, mais il s'impose aux autres par sa sérénité et son autorité naturelle.

Le charpentier s'incline avec respect avant de rejoindre son épouse et ses filles. Sa déférence amuse Dragma :

– Te voici devenu une légende vivante !

Spartacus hausse les épaules avec indifférence :

– Tant mieux si cette légende renforce notre armée. Où en sont nos recrues ?

Crixus montre une partie de la plaine transformée en champ de manœuvres. Six gladiateurs font office d'instructeurs. Ce sont tous d'anciens soldats. Oppius enseigne l'escrime. Il a installé un *palus**, pieu pivotant, armé de lames parallèles, semblable à celui de l'école de Capoue. Uldin, le Numide, apprend aux esclaves à monter à cheval. Brac les forme au tir au javelot. Daria, excellent archer, les entraîne au tir à l'arc sur des cibles de paille. Vadomar, ancien pirate cilicien, les aide à fabriquer des bombes de soufre. Cerdic, l'ingénieur, leur explique le fonctionnement d'une *baliste**, construite suivant ses plans.

– Nous manquons d'armes, fait remarquer Crixus.

– Les Romains nous en livreront bientôt ! s'esclaffe Dragma.

Ses compagnons restent de marbre. La plupart de leurs hommes n'ont que des bâtons.

– Que font les forgerons ? demande Spartacus.

– Ils travaillent jour et nuit, gronde Crixus. Forger une épée exige des heures. À ce rythme, il faudrait dix ans pour équiper une armée.

L'arrivée inopinée de Marcus interrompt leur conversation. Le précepteur, à bout de souffle, agite un message en balbutiant :

– Les Romains !

– Où ça ? plaisante Dragma en faisant semblant de chercher autour de lui.

– Deux nouveaux préteurs, précise Marcus. Publius Varinius et Marcus Cossinius. Le Sénat les a envoyés. Chacun commande une légion. Ils sont en route, ils approchent.

– Eh bien, nous allons les accueillir comme ils le méritent, dit Spartacus au milieu des rires.

– Encore un camp à piller ! raille Kalanos. Mais, cette fois, l'armure du préteur est pour moi.

Spartacus secoue la tête :

– L'imprudence de Glaber a dû leur servir de leçon. Pas question de les surprendre la nuit ni d'attaquer en masse. Ils n'attendent que ça ! Nous allons les harceler au cours de leurs marches. Constituez de petits groupes mobiles, quelques centaines d'hommes.

– Je propose de les grouper par origine, dit Crixus : les Gaulois, les Germains, les Thraces, les Ibères…

Spartacus frappe dans ses mains :

– Excellente idée ! Combien avons-nous de chevaux ?

– Cinq cent vingt-cinq, répond Marcus sans hésiter.

– Alors, cinq cohortes de cent cavaliers et de cent fantassins légèrement armés. Le succès dépendra de notre rapidité d'intervention. Il faut frapper comme la foudre et disparaître aussitôt. Crixus commandera les Gaulois, Dragma les Germains, Afer les Numides, Oppius les Ibères, et moi les Thraces.

– Pourquoi pas moi ? proteste Kalanos.

– Ton tour viendra, dit Spartacus, conciliant. En attendant, je veux tout savoir sur Publius Varinius et Marcus Cassius.

– Cossinius, rectifie Marcus.

– Qui ils sont, d'où ils viennent, quelles sont leurs habitudes et leurs manies. Il faut envoyer des espions. Des hommes libres, accompagnés de leurs épouses. Ils n'éveilleront pas la suspicion. Qu'on leur fournisse des vêtements, des charrettes et des chevaux. Ils feront halte devant les camps et demanderont un asile qu'on leur refusera : les civils ne sont pas admis dans les enceintes militaires.

– Sauf s'ils sont fournisseurs de l'armée, dit Marcus.

– Tu veux leur livrer des vivres ? ironise Spartacus.

Kalanos se frappe le front :

– Du vin ! Du vin empoisonné !

– Le seul problème, c'est que nous avons du poison, mais pas de vin, s'amuse Dragma.

– Assez plaisanté ! ordonne Spartacus. Nos informateurs prétendront avoir été chassés de leurs terres par les esclaves révoltés. Les préteurs ou leurs officiers ne résisteront pas à la tentation de recueillir des renseignements sur nos positions et nos effectifs. Ce sera donnant donnant. À leur retour, nos espions nous rapporteront ce que nous voulons savoir : nombre de légionnaires, d'auxiliaires, de cavaliers, sources d'approvisionnement, etc.

– À quoi ça te servira ? demande Crixus, sceptique.

– À découvrir leurs points faibles.

– Après la première attaque, ils se méfieront.

– Nous changerons de tactique. Je veux qu'ils se sentent menacés à chaque instant du jour et de la nuit. Qu'ils perdent patience et prennent des risques.

– Seul un fou peut envisager d'attaquer une légion romaine en marche ! soupire Kalanos.

— Ou Spartacus ! ajoute Dragma.

— Un fou, c'est ce que je dis !

Cette fois, les hommes éclatent de rire et Spartacus les imite.

Chapitre 9
Guérilla
octobre 73 av. J. C.

Spartacus a massé ses hommes au flanc d'une colline couverte d'une épaisse forêt. En contrebas, la voie Latina épouse les sinuosités d'un vallon encaissé, où s'avance l'armée de Varinius. On entend déjà le piétinement des hommes et des bêtes et le roulement des chariots lourdement chargés. L'endroit est propice à une embuscade. Par prudence, le préteur a détaché six éclaireurs. Les gladiateurs les ont éliminés, puis ils ont pris leur place. Les cavaliers romains que l'on distingue sur les crêtes sont, en réalité, des rebelles. Illusoirement rassuré, Varinius chemine vers le sud sans se douter que son ennemi l'observe.

— Les voici ! dit Kalanos d'une voix excitée.

Spartacus l'invite à la patience :

— Laisse-les s'engager davantage sous les arbres.

Ils regardent progresser la sixième légion. Les auxiliaires marchent en tête avec la cavalerie. Puis vient le train des bagages, dix chariots recouverts de bâches. Derrière, défilent les légionnaires en rangs par quatre. Les soldats chantent. Le préteur et ses tribuns chevauchent entre deux cohortes.

— Le beau coursier ! plaisante Kalanos. Je l'échangerais bien contre le mien.

Le Thrace fait le fier, mais son visage est tendu comme ceux de ses compagnons. Attaquer une légion avec deux cents hommes est un exploit que peu de guerriers ont tenté. Tout le monde n'a pas le privilège d'être commandé par Spartacus, le vainqueur de Glaber.

Les esclaves ne quittent pas leur chef des yeux. Soudain, Spartacus lève le bras. C'est le signal. Les archers s'attaquent aux cavaliers de tête, semant le désordre dans la colonne. Puis une trompette retentit. Les cavaliers rebelles surgissent de la forêt. Ils s'élancent sur les chariots, lancent de l'huile et des torches. Les véhicules flambent.

Déjà, une deuxième sonnerie ordonne la retraite. L'attaque a duré quelques minutes à peine. Les esclaves disparaissent sous les arbres. Les archers déciment les imprudents lancés à leur poursuite.

C'est le sixième guet-apens en quatre jours. Les esclaves frappent et s'évanouissent dans la nature. On les signale partout ; ils ne sont nulle part. Les éclaireurs, leurrés par les multiples détachements des rebelles, toujours en mouvement, transmettent des renseignements contradictoires.

Le soir de l'embuscade, dans son camp établi sur les hauteurs de Frasculum, Publius Varinius a comptabilisé ses pertes et convoqué ses tribuns, Quintus Cicero, Antonius Pollo, Cornelius Barbatus et Caius Aquilius. Il ne décolère pas.

— Que font nos éclaireurs ?

— Ils sont morts, dit Aquilius d'une voix sourde.

— Il faut éviter les forêts et avancer dans la plaine, conseille Pollo. Les rebelles n'oseront pas attaquer en rase campagne.

— Une stratégie défensive, c'est tout ce que tu as à proposer ? explose Varinius. On nous a envoyés pour rétablir l'ordre, et toi, tu veux te retrancher comme si nous étions en pays ennemi !

— Je n'ai pas parlé de défensive, proteste Pollo. Je veux obliger les esclaves à sortir de leurs montagnes et à se découvrir.

— Tu t'imagines sans doute que Spartacus va tomber

dans le piège ? Qui est-il, d'abord, ce Spartacus dont on me rebat les oreilles depuis un mois ?

— Un gladiateur, dit Barbatus.

— Ça, je sais ! écume le préteur. Mais quel gladiateur ? J'ai peine à penser qu'un vulgaire esclave soit capable de mettre au point une tactique comme celle du Vésuve.

— C'est un ancien soldat, ajoute Pollo.

— Je le crois volontiers. D'où vient-il ? Où a-t-il servi ? Je veux en savoir davantage sur lui. Envoyez des espions.

Aquilius lance un regard morne à ses compagnons :

— Nous l'avons fait, il les a crucifiés.

— Dépêchez des esclaves.

— Ils se rallient tous à lui !

— Le pire, c'est qu'il semble mieux informé que nous, maugrée Cicero.

— Que veux-tu dire ? Il y aurait des traîtres parmi nous ? fulmine Varinius.

Le tribun se décide à lui tendre un rouleau de papyrus :

— Cette lettre vient d'arriver.

— Une lettre ? Qui l'a apportée ?

Varinius déroule le message, le lit et devient cramoisi.

Salut à toi, Varinius. Tes saucisses étaient excellentes et ton vin de Chypre, digne de la table des dieux. Merci de ta générosité. Spartacus.

— Mon vin ? grince le préteur.

Le tribun dissimule son envie de rire sous une fausse indignation :

— Le convoi qu'ils ont pillé la semaine dernière, général.

— Incapables ! Je suis entouré d'incapables ! enrage Varinius.

Il arpente sa tente, bousculant les sièges et les tréteaux :

— Ce chien se permet de m'insulter. C'est Rome qu'il défie ! Et vous êtes ses complices par votre incompétence !

Il s'immobilise devant Aquilius :

— Il faut détruire à tout prix ce nid de frelons, tu entends ? D'après nos rapports, leur camp est à l'est. Prends deux mille hommes. Mettez-vous en route demain à l'aube. Ramène-moi ce Spartacus enchaîné. Ne me déçois pas.

Aquilius frappe sa cuirasse du poing. Il est impatient de vaincre les rebelles et de prouver sa valeur. Varinius n'a aucune expérience de la guérilla. Lui a combattu les brigands de Gellon au nord des Apennins. Il sait comment s'y prendre avec ces canailles. De Pompéi à Baïes toute la province tremble devant eux. Les domaines se dépeuplent et les villes se recroquevillent derrière leurs remparts. Victorieux, il aura droit à la reconnaissance des sénateurs et il se montrera digne de son père, l'ancien consul* Ottavius Publius Aquilius.

Trois jours plus tard, les débris de ses cohortes rallient péniblement le camp du préteur. Blessé à la tête et au ventre, Caius Aquilius est maintenu en selle par l'un de ses centurions. Varinius considère avec dégoût l'officier, symbole de sa propre défaite :

— Tu t'es laissé prendre au piège, une fois de plus !

Aquilius, blême et chancelant, secoue la tête :

— Ils nous ont submergés !

— Des esclaves !

— Des dizaines de milliers, bien armés et bien encadrés. Nous avons combattu à un contre dix jusqu'à la mort.

— Tu es bien vivant à ce que je vois, rétorque Varinius avec mépris.

Le tribun s'appuie sur l'épaule du centurion :

— Il m'a sauvé la vie.

« Il a eu tort ! » semble dire le regard du préteur. C'est un nouvel échec, sanglant celui-là. Des centaines de victimes. Impossible de cacher le désastre au Sénat.

À soixante milles de là, au bord du golfe de Neapolis, le préteur Marcus Cossinius ne peut dissimuler sa satisfaction. C'est un homme lourd dans tous les sens du mot. Jadis, pourtant, il a été un soldat valeureux, mais la vie de plaisirs qu'il mène depuis des années a transformé le guerrier en un personnage rougeaud et adipeux. Quand il rit, son ventre tressaute.

— Une nouvelle défaite, dis-tu ? Décidément, ce coq les collectionne !

Il n'est pas fâché de voir son collègue humilié. Ce vaniteux prétendait au commandement suprême de leurs deux armées sous prétexte que le Sénat l'avait nommé malgré son manque d'expérience militaire.

— Cette fois, les pertes sont sévères, ajoute le tribun.

Le rire de Cossinius s'efface :

— Qu'entends-tu par sévères ?

— Trois cents morts et autant de blessés à ce qu'on dit.

— Ganache ! marmonne le préteur entre ses dents. Maintenant il va solliciter la réunion de nos deux armées. S'il s'imagine qu'il va donner les ordres, il se trompe !

Ce sont déjà les calendes d'octobre. Pourtant, la chaleur est aussi brûlante qu'en plein été. Les champs sont desséchés et les chemins poudreux. Cossinius dessangle son pectoral et ses jambières, puis il ôte ses vêtements et invite ses officiers à l'imiter. Le sable blanc de Salinae est doux ; la mer étale fait penser à un lac. Le préteur se plonge dans l'eau avec un grognement de bien-être. Il commence à nager avec vigueur quand un spectacle inattendu arrête son élan. Il revient vers la plage. Au sommet de celle-ci, ses hommes s'agitent. Une trompette retentit ; une autre lui fait écho. Une longue file de cavaliers s'étire le long de la voie qui conduit à Pompéi.

— Tu avais raison : il vient chercher de l'aide, constate un tribun en reconnaissant les enseignes de Varinius.

Le préteur les a identifiées, lui aussi. Il sort de l'eau. Au même instant, le drame se produit : les cavaliers abaissent leurs lances et chargent les soldats romains.

— Spartacus !

— Les esclaves !

De tous côtés résonnent les buccins*. Ce sont eux, les maudits révoltés, habillés avec les dépouilles des vaincus. Ils sont plusieurs centaines, armés de lances, de glaives et de haches.

Le premier réflexe de Cossinius a été de se ruer vers sa cuirasse et ses armes. Il est déjà trop tard. Maîtres du terrain, les esclaves regardent vers la mer. Pour leur échapper, le préteur se jette à l'eau, suivi de six officiers, tout ce qui reste de son état-major.

À quelques encablures de là, la voile d'un pêcheur est en attente de vent. Les Romains, abandonnant toute dignité, nagent désespérément sous une nuée de flèches et de balles de fronde.

— Je suis Marcus Cossinius, dit avec le plus d'autorité possible le préteur en se hissant à bord de la barque.

— Et moi, Poséidon, dieu des mers et ébranleur des terres, se gausse le pêcheur en prenant ses aides à témoin.

Chapitre 10

Frères de sang
octobre 73 av. J. C.

— Nu, dis-tu ?

Le regard de Brac hésite entre le fou rire et l'incrédulité.

— Comme un ver, confirme Spartacus.

— Un gros ver ! s'esclaffe Oppius.

— Tu aurais dû les exterminer ! s'écrie Crixus avec une fureur contenue.

— Nous avons massacré tous ceux qui étaient à notre portée, rétorque Kalanos. Les autres se sont enfuis.

— Je parle du préteur et des officiers.

— Ils étaient en mer.

— Ils reviendront avec de nouvelles troupes.

— Nous aurons les nôtres, dit Spartacus.

Il examine le camp. En un mois, celui-ci a triplé. Des maisons de bois et de torchis s'élèvent à côté des centaines de tentes, romaines pour la plupart. Elles occupent toute la surface du plateau. La position domine la campagne sur un rayon de cinquante milles.

Dans la plaine, au pied du plateau, les rebelles s'exercent par groupes de cent. Ils sont maintenant soixante-quinze mille, armés pour la plupart. À côté des fantassins lourds, équipés d'un casque, d'une cuirasse, d'une lance et d'une *spatha*, la longue épée ibère, évoluent des voltigeurs, rapides, munis d'un bouclier rond, d'un glaive court et d'un poignard. À l'autre extrémité de la plaine s'entraînent les cavaliers. On en compte à présent plus de mille.

Devant les champs de manœuvres se dressent vingt croix. Ceux qui ont désobéi aux ordres y pourrissent dans une puanteur insupportable. La cohésion de l'immense armée exige cette horreur. Tout manquement à la discipline doit être sanctionné sans pitié.

Chaque jour, des hérauts à cheval parcourent le camp pour rappeler en plusieurs langues le règlement de l'armée, car les nouvelles recrues affluent de partout. Les plus indociles et les plus redoutables sont les bergers. Ce sont des hommes sans foi ni loi, accoutumés à la vie sauvage. Laissés en liberté par leurs maîtres sur d'immenses domaines, ils pratiquent le brigandage, pillent les voyageurs et volent les troupeaux des domaines voisins. Les grands propriétaires ferment les yeux sur ces pratiques qui les enrichissent et augmentent leur cheptel au détriment des autres. À présent, ces bandits se retournent contre leurs maîtres. Ils rêvent de vengeance et de massacres. Leurs officiers ont du mal à les maîtriser.

Le règlement du camp les concerne au premier chef : il est interdit de voler, de se battre, d'insulter un officier, d'abandonner l'armée avant une bataille et de reculer devant l'ennemi.

En dehors de ces règles de vie et de survie, les esclaves sont libres. Ils peuvent abandonner le clan des rebelles et retourner chez leurs maîtres quand ils le veulent en dehors des combats.

Les châtiments, cruels, suscitent parfois la réprobation. Ainsi, Crixus n'a pas apprécié la mise en croix de six Gaulois qui avaient désobéi aux ordres et mis la troupe en danger par leur imprudence.

— La flagellation aurait suffi, répète-t-il.

Spartacus secoue la tête d'un air désolé :

— La loi est la même pour tous.

Il regrette lui-même la mort de ces compagnons. Deux d'entre eux étaient des guerriers valeureux. Le plus âgé lui a sauvé la vie au cours d'une embuscade.

– Il faut parfois écouter ton cœur.

– Mon cœur ?

Spartacus regarde Marcus qui le tire de sa méditation. L'ancien précepteur a attendu le départ des lieutenants pour exprimer son opinion. Spartacus ne peut se défendre d'un sentiment de sympathie pour ce garçon intelligent et savant. Il apprécie sa vision lucide de la réalité.

– À quel propos devrais-je interroger mon cœur ? Lorsque je dois condamner des hommes à la crucifixion ? Tu crois que ça me fait plaisir de me comporter comme un Romain ? C'est mal me connaître ! Je dois rappeler à nos hommes ce qu'ils risquent. La liberté est dangereuse lorsqu'elle enivre au point de faire oublier le sens de notre combat.

– Je ne pensais pas aux exécutions, proteste Marcus.

– À quoi pensais-tu, alors ?

Le précepteur lui montre Crixus et les officiers qui discutent entre eux un peu plus loin :

– À ce qu'ils essaient de te dire.

– Je les écoute.

– Certes, mais tu n'en fais qu'à ta tête.

– Je n'ai pas demandé à être leur chef.

– Ce sont eux qui t'ont choisi. Ils ont bien fait : ils n'auraient pu trouver un meilleur roi que toi, affirme Marcus avec conviction.

Spartacus fronce les sourcils :

– Roi ? Tu essaies de me provoquer. Roi ! Pourquoi pas maître tant que tu y es !

— Je ne voulais pas t'insulter, se défend Marcus.

— Tu parles ! Un de ces jours, je te couperai la langue.

— À choisir, je préférerais les oreilles, maître.

Le chef des esclaves crispe la main sur son poignard :

— La décision m'appartient. C'est bien ce que tu affirmais ?

Marcus réprime un sourire :

— Veux-tu écouter ce que j'ai à dire avant de me transformer en pantin muet ?

— Parle !

— Pour l'instant, tu es victorieux, mais cette victoire a ses limites. Le Sénat a réagi faiblement parce qu'il a d'autres chats à fouetter. Ses meilleures légions sont en Ibérie et en Orient. En Ibérie, elles combattent Sertorius, le général romain dissident. En Orient, elles luttent contre le roi du Pont, Mithridate.

— Je sais, nous en avons discuté, le coupe Spartacus. Sertorius donne du fil à retordre aux Romains. Cet homme me plaît.

— Il est maître d'une partie de l'Ibérie. Il a fondé une nouvelle Rome, un État indépendant.

— J'ai bien envie de signer un traité d'alliance avec lui. Qu'en dis-tu ?

— Il faudrait savoir ce qu'un général comme lui pense des esclaves.

— Un allié est un allié. Il a besoin d'un appui en Italie.

— Il a déjà un allié, dit Marcus. Mithridate lui a envoyé quarante navires et un véritable trésor : dix-huit millions de deniers, de quoi lever plusieurs armées.

— Pourquoi un roi asiatique soutient-il un Ibère ?

– Sertorius n'est pas ibère, mais romain. Mithridate espère qu'il se rendra maître de Rome et qu'il l'aidera alors à étendre son royaume en Asie. Sertorius lui a déjà délégué l'un de ses meilleurs lieutenants, Marcus Marius, pour former son armée et l'aider à vaincre les légions de Lucullus, le plus redoutable des généraux romains avec Pompée.

Spartacus se frotte les mains :

– Tout cela me paraît excellent. Rome est trop occupée pour penser à nous.

– Pour le moment, soupire Marcus. C'est ce que j'essaie de te faire comprendre. Face à Sertorius, le Sénat a envoyé Pompée, le meilleur de ses généraux. Sertorius a maintenant dix légions contre lui.

– Mithridate peut lui venir en aide. Tu m'as dit que le roi avait cent vingt mille fantassins et quinze mille cavaliers.

– C'est vrai, mais son adversaire, Lucullus, a soixante mille hommes et c'est un fin stratège.

– Comment tu sais tout cela ? s'étonne Spartacus avec admiration.

– Je discutais souvent avec mon maître qui avait été consul et questeur*. Il appréciait mes jugements.

– Je les apprécie, moi aussi.

– J'en suis heureux. Vois-tu, la puissance de Rome est prodigieuse. Elle peut conduire plusieurs guerres en même temps sans épuiser ses réserves.

– Je suis puissant, moi aussi, s'exclame Spartacus avec rage. J'ai soixante-quinze mille soldats. Dans un mois ou deux, j'en aurai cent mille. Des hommes prêts à donner leur vie pour leur liberté. Sais-tu ce que ça représente ?

Marcus acquiesce avec émotion :

— Je suis bien placé pour le savoir.

Le chef des esclaves se radoucit.

— Je ne cherche pas à me tailler un empire. Je veux seulement aider ces gens à regagner leur patrie.

— C'est pour ça qu'ils t'aiment et t'admirent. Mais ils te suivent aveuglément parce que tu es victorieux. C'est dans la défaite qu'on reconnaît la fidélité. Ton armée est nombreuse et déterminée. Cependant, le nombre n'est pas forcément un gage de puissance. Il y a soixante-dix ans environ, les esclaves de Sicile se sont révoltés. Ils étaient deux cent mille. Leur chef se nommait Eunous. C'était un personnage étrange, un Syrien, un peu magicien. Il prétendait être inspiré par la déesse Atargatis. Elle lui avait prédit qu'il deviendrait roi.

— Lui aussi ! plaisante Spartacus.

Marcus ne peut s'empêcher d'éclater de rire. Son rire a une fraîcheur d'enfant.

— Continue, dit Spartacus. Qu'est devenu Eunous ?

— Il a pris et pillé plusieurs villes, vaincu cinq armées romaines et s'est rendu maître de toute la partie orientale de l'île. Sa révolte a duré trois ans.

— Une éternité pour des guerriers promis à la mort d'un jour à l'autre.

— Finalement, les Romains ont vaincu et exterminé les rebelles. La guerre a duré aussi longtemps parce qu'elle se déroulait loin de Rome. Toi, tu menaces directement la cité. Si tu vas vers le nord, comme tu en as l'intention, Rome se sentira en danger. Il faut se méfier d'un fauve blessé.

— Un fauve, c'est lui faire beaucoup d'honneur. Disons un porc !

Comme Marcus se tait, Spartacus le bouscule affectueusement :

— Que ferais-tu à ma place ?

— Agis vite. Ne laisse pas les Romains se ressaisir.

— Toi aussi, tu me reproches de m'endormir sur mes lauriers ? Crixus, Œnomaüs, Afer et Kalanos voudraient brûler Rome et l'Italie tout entière. Ils rêvent de vengeance. Moi, je rêve de liberté.

Le regard du chef des esclaves s'illumine soudain. Ses lieutenants semblent avoir aperçu la même chose que lui. Ils se rapprochent du bord du plateau. Marcus suit leurs regards : vers l'ouest, une troupe de cavaliers s'approche, aigles brandies, dans un concert de buccins et de tambours.

— Dragma est de retour ! annonce Spartacus. Si j'en crois mes yeux, il apporte de bonnes nouvelles.

Le Germain se détache de son escadron et pousse son cheval au galop vers le plateau. Arrivé au sommet, il se jette à terre. Il est vêtu d'une cuirasse splendide et coiffé d'une couronne d'or.

— Comment se porte mon ami Cossinius ? demande Spartacus.

Dragma affecte un air tragique avant d'éclater de rire.

— Mal, je le crains. Le préteur est mort.

Spartacus caresse la cuirasse du Germain :

— C'est ce que j'ai cru comprendre.

— Il a fait exactement ce que tu avais prévu : après avoir accosté, il a rejoint son camp avec ses officiers. C'est là que nous l'attendions. Les Romains sont morts et leur camp a brûlé. Dix chariots de butin suivent mes cavaliers.

Des hurlements de joie saluent cette nouvelle. Ils font écho aux cris des rebelles qui se pressent autour des cavaliers et des chariots. Spartacus serre le vainqueur dans ses bras et lui administre de grandes claques dans le dos. Puis il s'écarte et fait le salut romain, bras tendu :

— *Ave, victor !*

Dragma lui rend son salut en riant.

— Salut, frère !

Leurs mains se rejoignent et s'étreignent à la hauteur du poignet. À leur tour, les autres chefs joignent leurs mains à celles de Spartacus et de Dragma, en répétant la formule. Ils restent en cercle un long moment, liés par le sentiment puissant de leur fraternité.

Chapitre II

Les démons déchaînés
novembre 73 av. J. C.

Les Romains observent le camp bâti par les esclaves, en un seul jour, à six milles du leur. Un fossé aux dimensions réglementaires, un talus, une palissade à la mode romaine, deux tours de guet, des tentes, des étendards.

— Je me demande s'ils ont fait appel à un augure pour tracer ses limites, ironise Fabius Sextius, un jeune légat*, fils de sénateur, dépêché la veille de Rome.

Tullius sourit avec mépris :

— Ils se prennent pour des légionnaires !

— Nous allons montrer à ces brigands ce qu'est une légion romaine, dit Varinius.

Cette fois, plus question de piège ni de guérilla. Ses légions, renforcées par les survivants de l'armée de Cossinius, encerclent le camp rebelle. Les Romains perçoivent la lueur des feux, la silhouette des factionnaires. Ils respirent une odeur de viande grillée. À intervalles réguliers, une trompette annonce la relève de la garde.

— Les hommes sont prêts ? s'inquiète le préteur.

— Ils attendent le signal, acquiesce le légat commandant la cavalerie.

— Nous attaquerons à l'aube. Je ne veux pas qu'un seul de ces chiens nous échappe.

— Sois tranquille !

Les heures suivantes, Varinius se force à résister au sommeil. La poursuite des esclaves a duré une semaine entière. Elle l'a épuisé. Mais la guerre touche à sa fin : Spartacus est enfin à sa merci.

La nuit commence à pâlir lorsqu'un doute s'insinue dans son esprit :

— Le camp est bien silencieux !

Ses officiers échangent des regards perplexes. Eux aussi ont remarqué cette anomalie.

– À l'attaque, vite ! commande Varinius.

L'ordre se répercute. Les hommes se mettent en position d'attaque. Une flèche enflammée effectue une parabole devant les premiers rangs.

– *Ad gladios* !*

– *Concursu* !*

Trois cents vélites*, munis de torches, s'élancent. Ils atteignent la palissade sans difficulté. La porte s'effondre. Les Romains envahissent le camp ennemi et s'immobilisent, stupéfaits. L'armée qui se dresse devant leurs yeux se compose de cadavres. Ce sont tous des victimes des combats antérieurs revêtus de leurs armures. Liés à des pieux, ils ont l'air bien vivants. En dehors de ces fantômes, le camp est vide.

– Spartacus s'est joué de nous une fois de plus ! dit Tullius avec amertume.

– Pas pour longtemps ! gronde le préteur. Envoyez des patrouilles dans toutes les directions, fouillez le pays, retrouvez leurs traces !

Vers la fin de la matinée, les éclaireurs reviennent triomphants. Ils ont repéré l'armée rebelle à quelques milles de là. Varinius donne l'ordre d'attaquer.

Laissant son camp à la garde de cinq cents hommes, il part au combat avec l'effectif de trois légions, quinze mille hommes et huit cents cavaliers.

Le ciel s'est brusquement assombri. Des éclairs le sillonnent. La foudre fait trembler la terre. En voyant apparaître l'armée romaine, les esclaves se replient en désordre. Cette débandade est conforme aux présages : en étudiant les entrailles des bêtes sacrifiées à Jupiter et à Minerve, les augures ont prédit à Varinius une grande victoire.

— Poursuivez-les !

Obéissant aux ordres, les cavaliers et les vélites foncent sur les fuyards. Cette fois, les esclaves ne leur échapperont pas. Le préteur se porte lui-même en avant de son infanterie.

Soudain, en pleine retraite, les rebelles s'arrêtent et font volte-face avec un ensemble parfait. Au même instant, la foudre s'abat entre les deux armées. Une pluie diluvienne se met à tomber. La terre, surchauffée, fume. Une brume se forme, dissimulant l'armée adverse.

La foudre continue à poignarder la plaine. Les nuées sont de plus en plus épaisses. Dans cette opacité, on entend le bruit d'un combat. La cavalerie et l'infanterie légère sont entrées en contact avec l'ennemi. Craignant de voir Spartacus frapper et disparaître comme à son habitude, Varinius ordonne à l'infanterie lourde d'attaquer à son tour.

Les trois légions se mettent en mouvement. Elles percent le brouillard. L'ennemi est toujours là. Non seulement il tient le choc, mais sa contre-attaque soudaine est d'une puissance effarante. Il s'ensuit une mêlée sauvage au milieu des débris de la cavalerie romaine et des vélites en déroute. Contre cette furie, les légionnaires se battent avec courage. Ils semblent reprendre l'avantage lorsque, sur leurs flancs, deux troupes rebelles surgissent au sommet des deux collines voisines, et dévalent les pentes en hurlant.

Pour faire face à ces renforts, les Romains se divisent en trois corps.

— Sonnez la retraite ! ordonne le préteur.

Il est trop tard : les *hastati** et les *principes** des premiers rangs sont enfoncés, forçant les *triarii** à céder du terrain. Pris en tenailles, les légionnaires cèdent à la panique.

Varinius assiste, impuissant, au carnage de ses soldats. Sur son cheval blanc, avec sa cuirasse étincelante, il offre une cible de choix. Les esclaves l'ont repéré. Ils hurlent son nom. Des centaines de démons déchaînés se lancent à sa poursuite.

Il fuit, entouré de ses tribuns et d'une cinquantaine de cavaliers. Des hommes tombent autour de lui. Ses six licteurs* sont abattus l'un après l'autre. Soudain, c'est son tour. Son cheval s'effondre, frappé à mort. Dans sa chute, le préteur perd son casque et son bâton de commandement. Il se débat dans la boue et le sang, se relève, chancelant. Puis il est emporté par la vague de la débâcle.

Par chance, les esclaves ont interrompu leur poursuite pour piller le champ de bataille. Une clameur de victoire, qui célèbre aussi sa défaite, s'élève dans la plaine.

Un cavalier reconnaît Varinius, malgré la boue qui le transforme en fuyard ordinaire. Il s'arrête à sa hauteur et lui remet son cheval. Une fois en selle, le préteur retrouve un peu de dignité. Aidé d'un groupe d'officiers et de centurions, il réussit à rallier les fugitifs et à les orienter vers le camp d'Agmen, gardé et fortifié.

Le Sénat ne lui pardonnera jamais ce désastre, il le sait. Il aurait dû mourir en combattant comme Cossinius. Les dieux ne l'ont pas permis. Ils l'ont abusé en lui prédisant une victoire et en l'octroyant à ses adversaires. Ces esclaves sont des démons incarnés, des monstres surgis des entrailles de la terre, vomis par l'abîme infernal.

Varinius essaie de se persuader que le déchaînement des éléments a favorisé Spartacus ; il n'y croit pas vraiment : en plein soleil, l'issue de la bataille aurait été la même.

Sous sa tente, il médite à haute voix :

— Nos soldats se battent pour rester en vie. Les esclaves se vengent de nous au mépris de la mort.

— Ce ne sont pas des hommes, mais des bêtes enragées ! rumine Fabius Sextius.

Le front blessé du jeune légat est enveloppé d'un bandeau de fortune.

Varinius poursuit sa réflexion solitaire :

— Il y a, en Italie, cinq fois plus d'esclaves que de soldats romains.

Sextius, à bout de forces, s'assied sur le sol. Il grommelle :

— Leurs femmes se battent aussi. Ce sont les plus féroces.

Les blessés qui ont pu se traîner jusqu'au camp sont étendus le long de l'allée principale. Leurs gémissements troublent le soliloque du préteur. Il lance des ordres :

— Antonius, fais le compte des pertes et des blessés. Caius, envoie un messager à Pompéi, réclame des médecins et des médicaments. Timon, un courrier pour le Sénat.

Il n'essaiera pas d'inventer des excuses pour minimiser sa défaite. Il mérite un châtiment. L'important est de faire prendre conscience au Sénat de la gravité du danger qui plane sur Rome. Les rebelles ne sont pas des esclaves comme les autres. Ce sont des adversaires imprévisibles, insaisissables et inspirés, qui bousculent les lois de la guerre. De vrais soldats !

Chapitre 12

Division
janvier 72 av. J. C.

Tout en chevauchant avec lenteur sur le chemin de crête, le long duquel s'étire son armée, Spartacus contemple les sommets couverts de neige. Les Apennins lui rappellent les montagnes de Thrace de son enfance.

En ce début de l'an 72, l'hiver est particulièrement rude. Le chef des esclaves a distribué à ses soldats des fourrures et des vêtements de laine. Les pillages de Cumes, de Nola, d'Abellinum et de Métaponte ont fourni le nécessaire. Ils ont grossi démesurément le trésor de guerre. Des millions de sesterces dorment dans les coffres.

Malgré ses succès, de sombres pensées assaillent le chef des rebelles : huit jours auparavant, son armée s'est scindée en deux troupes distinctes. Crixus, à la tête de vingt-cinq mille hommes, a envahi l'Apulie, au sud. Il entraîne avec lui une compagnie disparate de pillards et de fanatiques animés par la haine de ceux qui les ont asservis. L'Apulie est une province opulente, mais, en dehors des richesses offertes à leur convoitise, elle ne présente pas de véritable avantage militaire.

Spartacus, lui, a décidé de gagner le nord de l'Italie pour permettre aux esclaves de retrouver leurs terres natales. Il a sous ses ordres cinquante mille hommes aguerris et disciplinés qui admirent leur chef et croient à sa destinée.

Marcus chevauche à côté de Spartacus. De temps à autre, il réfléchit à haute voix :

– Je me demande si la division de l'armée est une bonne tactique.

Spartacus abandonne sa contemplation des sommets pour prêter attention aux paroles de son conseiller.

– Une tactique, non, mais une nécessité. L'expédition d'Apulie était le vœu de Crixus. Je le respecte.

– Il est moins bien organisé, et une partie de ses troupes est incontrôlable.

– Elles sont tout aussi valeureuses que les nôtres. Il est cependant malheureux qu'Œnomaüs ait succombé. C'était un excellent officier. Il va lui manquer.

Marcus secoue la tête avec obstination :

– Il n'empêche que cette division affaiblit vos armées au moment où le Sénat envoie ses deux consuls, Lentulus et Gellius, avec un contingent impressionnant.

– Les consuls devront eux-mêmes diviser leurs troupes.

– Tu comptes réellement franchir les Alpes ?

– Pourquoi pas ?

Marcus pince les lèvres, sceptique :

– Entre la Campanie et la Gaule, il y a dix ou douze légions, celles de Lentulus, en particulier.

Spartacus montre les sommets :

– Il y a aussi, dans ces montagnes, des milliers d'hommes qui haïssent Rome. Je ne parle pas seulement des esclaves, mais des hommes libres qui n'attendent qu'un prétexte pour se révolter. Ils se rallieront à nous.

Le soupir de Marcus traduit sa lassitude et son incrédulité :

– J'aimerais partager ton optimisme.

– Nous en avons des centaines, de ces petits propriétaires ruinés. Ils sont courageux et fidèles.

– Tu les as recrutés en Apulie et en Campanie ; la situation s'y prêtait. Dans les provinces que tu vas traverser, le pays des Samnites, le Picenum et l'Ombrie, les choses ne sont plus ce qu'elles étaient il y a cinquante ans.

— Tu veux dire que les paysans vont nous combattre ?

— Nous combattre, peut-être pas, mais tu n'as aucune aide à attendre de leur part. S'ils n'aiment pas Rome, ils se méfient plus encore des esclaves révoltés, pillards et sanguinaires.

— Beau portrait ! ironise Spartacus.

— C'est l'idée qu'ils se font de toi, de nous. Ils n'ont pas tort. Malgré la discipline que tu imposes à tes hommes, certains font régner la terreur.

— Chez les Romains !

— Justement, la condition des paysans que tu veux soulever s'est transformée en un demi-siècle. Ils ont conquis la citoyenneté romaine. La majorité d'entre eux sont des vétérans des guerres d'Ibérie et d'Afrique. Ils se méfient de l'aristocratie, mais ils sont attachés à leurs terres et ils ne veulent pas les voir envahies.

Spartacus va répliquer lorsqu'il remarque un flottement dans la colonne qui s'étire sur le chemin de crête. Il fait aussitôt volte-face et remonte le flot des soldats à contre-courant. Il atteint bientôt l'endroit où ses hommes s'attroupent, bloquant le passage du convoi.

Le franchissement des Alpes exige une avancée rapide. Tout retard, propice au regroupement de ses adversaires, compromet sa réussite. Mécontent, Spartacus saute à terre et gronde :

— Que faites-vous ?

Les hommes s'écartent. Au milieu de la foule, un cavalier a glissé à bas de sa monture fourbue. Ses habits déchirés laissent voir un corps sanglant.

– Qui es-tu ? demande Spartacus.

– C'est Lucter, l'Arverne, dit un esclave.

– L'un des cavaliers de Crixus, précise un autre.

Envahi d'un mauvais pressentiment, Spartacus s'agenouille auprès du blessé :

– Que s'est-il passé ?

– Ils nous ont massacrés, murmure Lucter.

– Gellius ?

Le blessé ferme les yeux. D'une voix faible il explique :

– Les Romains nous ont surpris devant le mont Gargano, en Apulie. Nous étions encerclés. Nous nous sommes
battus jusqu'au dernier, jusqu'au dernier…

– Crixus ?

– Mort, lui aussi.

Spartacus maudit le ciel. Crixus, son compagnon de la
première heure, son frère d'armes ! Il a beau savoir que
ses hommes sont tous promis à une mort inéluctable, la
disparition de son fidèle second le révolte et lui brise le
cœur.

Le blessé, qui se sent coupable d'avoir survécu, chuchote :

– Je suis venu vous avertir : Gellius arrive à marche
forcée. Il veut vous empêcher de revenir en arrière, vous
prendre au piège et vous exterminer à votre tour.

– Et Lentulus se dresse devant nous, murmure Spartacus d'une voix pensive.

Son armée est prise en tenailles entre celles des deux
consuls. Ses soldats, de plus en plus nombreux, se pressent autour de lui. Ils ont entendu le récit de Lucter et
guettent la réaction de leur chef.

Spartacus se redresse et s'avance au bord du précipice. De là, il domine la plus grande partie de son armée immobile.

— Crixus est mort ! lance-t-il d'une voix puissante, répercutée par l'écho de la montagne. J'espère que vous aurez à cœur de venger vos compagnons. Nous allons balayer ces Romains comme nous l'avons fait à plusieurs reprises. Ils célèbrent leur victoire, les fous ! Ils ont vaincu le vent. Ils vont maintenant affronter la tempête !

Sur les sommets, jusqu'à l'horizon, les esclaves brandissent leurs armes et hurlent leur haine et leur enthousiasme. Spartacus saute à cheval et se dépêche de rejoindre ses lieutenants en tête de colonne.

Il montre le nord :

— D'abord Lentulus !

Trois jours plus tard, encerclée par les légions de Lentulus, l'armée des esclaves contraint les Romains à une retraite honteuse. Elle s'empare de leurs armes, de leurs bagages, de leurs chevaux. La route des Alpes s'ouvre devant elle. Les rebelles espèrent poursuivre leur voyage quand Spartacus leur ordonne de faire demi-tour.

Il se précipite sur Gellius, le surprend et décime ses légions. Des centaines de prisonniers romains sont chargés de chaînes. Ils suivent l'armée de Spartacus jusque dans le val d'Arinum. Là, le chef des esclaves établit son camp. Les survivants du désastre de Gargano rallient l'armée.

Sur un chariot gisent les corps de Crixus et de ses officiers. Brac, l'un des rescapés du massacre, s'incline devant Spartacus :

— Tu nous as vengés, frère. Tes victoires sur Lentulus et sur Gellius nous rendent l'honneur perdu. Désormais, nous marcherons avec toi jusqu'au bout du monde.

Spartacus, défiguré par l'émotion, se penche sur la dépouille de Crixus. La moitié des soixante-quatorze gladiateurs qui, les premiers, ont brandi le glaive de la révolte ont péri. Crixus lui était le plus cher d'entre tous. Spartacus se reproche de l'avoir laissé partir.

« Ensemble nous étions invincibles ! »

— C'était un grand guerrier, dit-il d'une voix grave. Nous allons lui offrir des funérailles de héros.

Chapitre 13

Jeux funèbres
février 72 av. J. C.

Dans la vaste arène, aménagée pour la circonstance, les esclaves ont dressé un bûcher monumental. Au sommet d'une pyramide de chêne, les corps de Crixus et de ses lieutenants sont étendus sur un lit de branches de cyprès odorants.

Autour de l'arène, les charpentiers ont construit des gradins où s'entassent les rebelles. Dans un enclos voisin, ils ont parqué trois cents prisonniers romains. Les captifs, uniquement vêtus d'un pagne, grelottent sous le vent glacé venu des montagnes.

Quand on introduit les premiers combattants, les spectateurs hurlent de joie et lancent des quolibets. Ils s'amusent à parodier les jeux du cirque.

À chacun des gladiateurs, Oppius, maître de cérémonie, remet le sabre recourbé et le bouclier rond des Thraces, puis il les dispose par paires en précisant :

— Le vainqueur aura la vie sauve… provisoirement.

La plaisanterie déclenche les rires des spectateurs. Résignés, les Romains se mettent en position. Ils attendent le signal lorsque l'un des combattants jette ses armes et défie du regard le chef des esclaves :

— Je ne me battrai pas !

— Non ? dit Spartacus d'un ton ironique.

— Je préfère la mort !

— C'est le but.

— Une mort digne.

Spartacus se dresse, une main crispée sur le manche de son poignard. La colère assourdit sa voix :

— Tu veux dire que la mort des gladiateurs est indigne de toi ?

Sur les gradins, les esclaves écoutent leur chef dans un silence de mort.

– Regarde ce bûcher ! ordonne Spartacus. Sache qu'il n'existe pas de sort plus glorieux que de répandre son sang devant la dépouille d'un héros. Tes ancêtres pratiquaient cette coutume. Leurs prisonniers se battaient devant le tombeau des guerriers tombés au cours de la bataille. C'était un rite religieux. Dommage que vous ayez perverti cette noble cérémonie avec le spectacle répugnant des jeux du cirque. Je t'offre l'occasion de racheter ta défaite par un combat héroïque. Peut-on être plus magnanime ? Je te le demande.

Il prend à témoin ses soldats, qui l'acclament. Le Romain croise les bras avec fierté et répète :

– Je ne me battrai pas.

– C'est ton droit, soupire Spartacus.

Il se rassied, puis ordonne :

– Crucifiez-le !

Les esclaves entraînent le prisonnier qui se débat et supplie. Spartacus attend qu'il ait disparu, puis il s'adresse aux autres gladiateurs :

– Lequel d'entre vous refuse encore de combattre ?

Les trente Romains se hâtent de se remettre en garde.

– Attendez ! crie Spartacus. Vous oubliez une tradition importante.

Les combattants ne comprennent pas ce qu'il veut dire. Oppius lui-même est perplexe.

– Vous devez saluer vos maîtres !

Quelques gladiateurs obéissent. Les autres les imitent, l'épée tendue vers la tribune. Les spectateurs hurlent de joie. Puis Oppius donne le signal et les combats commencent.

Les Romains attaquent leurs compagnons sans conviction. Furieux de ces simulacres, les spectateurs injurient les combattants. Spartacus, lui, observe la scène d'un œil indifférent.

Les gladiateurs blessés sont aussitôt sacrifiés. D'autres prisonniers entrent alors dans l'arène pour prendre leur place. Pour stimuler les plus lâches, les esclaves leur brûlent les jambes avec des torches.

Marcus, pris de dégoût, ne peut s'empêcher de demander à Spartacus :

— Tu es satisfait du spectacle ?

Le chef des esclaves secoue la tête :

— Ces gladiateurs sont pitoyables, tout juste bons à être livrés aux bêtes.

— Pourquoi cette mise en scène ridicule, alors ?

Spartacus lui lance un regard sévère :

— Si j'ai bonne mémoire, c'est toi qui m'as expliqué la signification de ces jeux funèbres : une cérémonie destinée à nourrir l'âme des héros morts. Crixus était un brave, il a mérité ce sacrifice.

Le précepteur pince les lèvres avec réprobation :

— Ce spectacle n'a rien de mystique. Ces hurlements de haine, ce plaisir sadique, ce goût du sang rappellent davantage les jeux du cirque que les cérémonies étrusques. Pourquoi imiter les maîtres dont vous dénoncez la bestialité ?

Spartacus dévisage le donneur de leçons avec ennui :

— Ce sont les lois de la guerre, Marcus. As-tu tenu une épée, une seule fois dans ta vie ?

— Tu me proposes de combattre dans l'arène ?

— Ne me tente pas !

La colère de Spartacus n'est pas feinte. Marcus se rend compte qu'il est allé trop loin.

— Pardonne-moi, bégaie-t-il. J'oublie ce que tu as fait pour ces gens-là.

Il montre les milliers d'esclaves dressés sur les gradins.

— Ce sont eux qui ont fait beaucoup pour moi, réplique Spartacus d'une voix sourde. Chaque jour, ils me donnent des leçons de courage. Moi, je suis un guerrier. J'ai été soldat, puis gladiateur. J'ai appris à me battre, à tuer, dès l'enfance. Je me suis préparé à mourir. Eux, ce sont pour la plupart des paysans, des ouvriers, des bûcherons, des bergers, des fileuses. Regarde ces femmes : elles luttent comme les hommes. Elles s'élancent sur les champs de bataille avec un simple poignard contre des légionnaires lourdement armés. Certaines ont des enfants. C'est pour eux qu'elles se battent, pour qu'ils puissent vivre un jour en liberté.

Marcus pose la main sur le bras de Spartacus.

— Je sais tout cela, murmure-t-il avec émotion.

Spartacus le repousse violemment :

— Tu l'ignores ! Tu es un penseur, un poète, un rêveur. Ton esclavage ne t'a pas marqué comme ces misérables. Tu te révoltes contre ta servitude pour des raisons morales. Ils se révoltent pour cesser de souffrir.

Il montre l'arène sanglante :

— Tu trouves le spectacle répugnant ? Inutile de protester, je le sais. Je devais le leur offrir pour leur démontrer que les Romains ne sont pas d'une essence supérieure. Dans la même situation, ils se comportent, eux aussi, en esclaves. Ils obéissent, ils s'abaissent, ils implorent, ils s'entretuent pour préserver leur misérable existence. Tu as raison sur un point : cette exhibition est ignoble. S'il chevauche au milieu des nuages en compagnie de Teutatès, son dieu de la guerre, Crixus doit maudire ces pantins !

Il se dresse soudain et fait signe aux trompettes. Les sonneries étouffent les hurlements de la foule. Dans l'arène, Oppius et ses aides font cesser les combats.

– Cette pantomime est indigne de Crixus et de ses braves, s'exclame Spartacus d'une voix forte. Débarrassez-moi de ces maladroits ! Qu'ils emportent leurs morts.

Des murmures de mécontentement circulent dans la foule, frustrée de sa vengeance.

Spartacus étend le bras. Oppius et ses compagnons jettent leurs torches sur le bûcher. Des flammes jaillissent, enveloppant les corps de Crixus et de ses officiers. De la foule s'élève un chant guerrier, grave et émouvant. Les esclaves rythment cet hymne en frappant leurs cuirasses avec leurs lames de fer.

Le bruit s'amplifie. Il ébranle les gradins. On dirait que l'empire romain tout entier se met à trembler.

Chapitre 14

Le retour
avril 72 av. J. C.

Après avoir battu les deux consuls et rendu hommage à son frère d'armes, Spartacus a repris la route des Alpes le long des Apennins.

À Modène, une nouvelle armée se dresse devant lui, celle de Cassius Longinus, proconsul* de Gaule cisalpine. En quelques heures, Spartacus sème la panique dans ses légions et fait des centaines de prisonniers. Victorieux, il est au seuil des Alpes. Au-delà s'étendent des contrées inaccessibles à la puissance romaine.

Le chef des rebelles a su gérer ses victoires. Il a maintenant cent mille hommes, sans compter les femmes et les enfants. Pour les nourrir, il exige un tribut de la province conquise sur Longinus. La plaine du Pô, au nord de Modène, est prospère. Le bétail et le blé affluent vers son camp. Après la longue marche, l'armée se repose. La vie est douce. Les jours s'écoulent avec lenteur.

Pour ne pas laisser ses soldats dans l'inaction, Spartacus lance des raids vers les garnisons romaines de la région. Ces coups de main ne calment pas l'impatience de ses lieutenants. D'abord, ils ont célébré leurs triomphes. Le temps passant, ils s'interrogent sur les intentions de leur chef, visiblement satisfait de cette paix précaire.

Brac, le premier, questionne Spartacus :

— Que faisons-nous ?

Spartacus s'étire et sourit :

— Nous prenons du bon temps. Nous l'avons mérité, non ?

— C'est vrai, mais ensuite ? dit Kalanos d'un ton brusque.

— Il était question de rentrer dans nos patries respectives, rappelle Vadomar.

Spartacus acquiesce :

– C'est vrai, et c'est ce que nous ferons, sans doute. Mais pour cela nous devons scinder notre armée. Reste à savoir de quelle manière.

Il contemple la plaine brumeuse d'un air soucieux. Ses fidèles l'occupent sur dix milles jusqu'au fleuve. Ce sont des forêts de tentes et d'abris, des milliers de chariots, d'immenses troupeaux de bœufs et de moutons, des pâturages peuplés de chevaux, des centaines de cohortes de guerriers groupés par nations. Tout un peuple en marche. Un peuple libre.

– Notre force naît de notre cohésion, poursuit Spartacus. C'est elle qui a permis nos victoires. À présent, nous sommes devant un choix qui décidera de notre vie ou de notre mort. Pour regagner nos pays natals, nous devrons nous diviser. Oppius et les siens iront en Ibérie, Afer en Afrique, Dragma et Brac en Germanie, Vadomar en Cilicie, Daria en Gaule, Kalanos et moi en Thrace. Si nous nous dispersons, nous serons vulnérables, à la merci des Romains. Il est improbable qu'ils nous laissent repartir sans réagir. Ce serait la fin de l'esclavage qui est l'un des fondements de leur puissance et de leur richesse.

– Ma patrie ne signifie rien pour moi, dit Daria. J'avais six ans lorsque les Romains m'ont enlevé. Je n'ai aucun souvenir de mon pays natal.

Afer hausse les épaules, fataliste :

– Le mien est occupé par les Romains.

Oppius montre les esclaves :

– Ma famille, la voici.

Ils restent tous silencieux, obsédés par un problème auquel ils n'ont pas eu le temps de réfléchir dans la tourmente qu'ils ont traversée depuis un an et demi. Daria finit par demander :

— Tu parlais d'un choix. Où irons-nous si nous renonçons à retourner dans notre pays ?

— Qu'est-ce que vous en pensez ? demande Spartacus.

— Moi, dit Zarax, je suis partisan de marcher sur Rome et de brûler ce nid de reptiles venimeux !

— Bien parlé, mon frère, approuve Brac en cognant le fer de sa cuirasse.

— J'y ai pensé, reprend Spartacus. Mais Rome n'est pas seulement une ville. C'est tout un empire, de l'Ibérie à l'Orient et de l'Afrique à la Gaule. Soixante légions, des dizaines de milliers d'auxiliaires. Combien de temps tiendrions-nous contre ces forces coalisées ?

— Tu oublies tous les peuples opprimés, ils se révolteraient, intervient Kalanos. Les Thraces, les Grecs, les Ibères, les Phéniciens…

— Les Numides, ajoute Afer.

Spartacus secoue la tête, sceptique :

— J'espérais, moi aussi, une révolte. Dans les provinces que nous avons occupées, bien des hommes libres sont hostiles à Rome. Pourtant, aucun ne s'est insurgé. Seuls les esclaves et les proscrits ont rejoint notre armée.

— Je crois que nous devrions retourner dans le sud de l'Italie, dit Oppius.

Kalanos se frappe le front pour illustrer la stupidité de la proposition :

— Faire demi-tour après tout le chemin parcouru ?

— Je partage l'avis d'Oppius, intervient Spartacus. Le sud est une région prospère. Nous pourrions y subsister pendant des années.

— Avec l'autorisation des Romains ! ricane Brac.

— Là-bas, nous risquons d'être pris au piège, fait observer Marcus.

Spartacus hausse les épaules :

— Je n'ai pas l'intention d'y fonder une colonie.

— Dommage ! soupire Oppius. La nature y est généreuse.

Afer roule des yeux féroces :

— Ses propriétaires ne le sont pas !

Spartacus s'assied sur l'herbe et invite ses lieutenants à en faire autant. Ils forment un cercle attentif. Il les regarde l'un après l'autre avant de poursuivre :

— Le but est de passer en Sicile.

Il lance un bref coup d'œil à Marcus :

— Il y a des années, les esclaves de Sicile se sont révoltés. Ils ont occupé le pays pendant trois ans. Ils étaient deux cent mille.

— Ils ont finalement été vaincus, rappelle Marcus.

D'un geste, Spartacus demande au précepteur de ne pas l'interrompre.

— Ils ont été vaincus parce qu'ils n'étaient pas organisés. Notre armée est disciplinée et notre communauté est capable de vivre en autarcie. Il suffirait d'aborder en Sicile pour que la grande révolte de jadis se rallume.

Kalanos se dresse et pointe le doigt sur le chef des esclaves :

— Tout ça, c'est bien joli, mais tu oublies un détail : la Sicile est une île ! Comment vas-tu faire traverser la mer à cent mille soldats et vingt mille femmes et enfants ?

Spartacus attend quelques instants comme s'il hésitait à trahir un secret :

— J'ai réfléchi à cette question : je vais faire appel aux pirates.

— Quels pirates ? grommelle Brac.

— Les Ciliciens. Ils règnent sur la mer, et ils n'ont pas peur des Romains.

— Il faudrait des centaines de bateaux, objecte Kalanos.

— Ils en ont bien davantage.

— Pourquoi nous aideraient-ils ?

— Pour l'argent, dit Spartacus. Nous possédons un trésor : des millions de sesterces, des coffres de bijoux, de quoi louer cinq cents navires.

— Ces pirates, comment les contacteras-tu ? demande Kalanos.

— Vadomar s'en chargera. Il a navigué avec eux, il les connaît.

— Je les ai connus il y a bien longtemps, soupire Vadomar. Les Romains m'ont pris il y a…

Il compte sur ses doigts :

— Sept ans ! Les pirates que je connaissais ont certainement disparu.

— Mais tu parles leur langue, tu connais leurs coutumes, leurs repaires.

— Inutile d'aller bien loin pour ça, ricane le Cilicien. Les pirates sont à Brindes, à Héraklès, à Rhegium, à Terina, dans tous les ports du Sud. Ils viennent y vendre les fruits de leurs pillages : les épices, le vin, les objets précieux…

— Les esclaves ? ajoute Kalanos.

Vadomar acquiesce sans se démonter :

— C'est exact. La piraterie est l'une des sources d'approvisionnement des esclaves, comme la guerre. Les Ciliciens sont chez eux à Délos, en mer Égée, le grand marché servile de la région.

Les rebelles se taisent. On les sent troublés et inquiets. Oppius dévisage Vadomar avec méfiance :

– Qu'est-ce qui prouve que tes amis, une fois en mer, ne nous débarqueront pas à Délos au lieu de nous mener en Sicile ?

– Ceci ! dit Spartacus en plantant son poignard dans le sol. Nous serons des centaines de soldats à bord des navires. Les pirates nous obéiront.

– Ils peuvent même y voir un danger, fait remarquer Marcus.

Le visage de Kalanos s'éclaire d'un mauvais sourire :

– Nous pourrions constituer notre propre flotte et piller les gros bateaux marchands.

– Les bateaux romains ? s'esclaffe Marcus.

– Cela va sans dire !

D'un geste, Spartacus fait taire les rires de ses fidèles.

– Qui est d'accord pour aller en Sicile ?

Les bras se lèvent l'un après l'autre. Les derniers sont ceux de Kalanos et de Dragma.

– Bien, dit Spartacus. Préparez le départ. Brûlez tout ce qui est inutile. Abandonnez les chariots les plus lourds, nous passerons par la montagne. Tuez et fumez une partie des bêtes.

– Et les prisonniers ? demande Afer.

– Tuez-les !

– Tous ? Même les officiers ?

Le sourire de Spartacus découvre ses dents :

– Surtout les officiers !

Chapitre 15

L'invincible
mai 72 av. J. C.

— Ce sont nos vieux amis, les consuls, annonce Brac.

— Gellius et Lentulus ?

— En personne, avec quatre légions.

Le Germain est allé inspecter la région à la tête d'un détachement de cavaliers. Il revient avec une description précise de l'armée romaine :

— Vingt mille hommes environ, des centaines de cavaliers, des auxiliaires gaulois.

Un rebelle crache sur le sol avec mépris :

— Maudits traîtres !

— On peut les éviter en passant à l'est de la montagne, le long du littoral, suggère Brac.

Spartacus se dresse comme si on l'avait frappé au visage :

— Pas question ! Je préfère avoir mes ennemis devant moi que dans mon dos. Vingt mille hommes, d'après toi ? Ils ont dû recevoir des renforts.

— Ils brûlent de prendre leur revanche, dit Marcus.

Dragma ricane :

— Ils brûlent déjà alors qu'on n'a pas encore allumé l'incendie.

Spartacus glisse à bas de son cheval. Il caresse le flanc de la bête d'un air pensif.

— Une revanche, bien sûr, mais pas seulement. Ils pensent que nous allons attaquer Rome. C'est ce qui explique leur position devant Spoletium. Il ne faut pas les décevoir !

— Nous marchons sur Rome ? s'écrie Dragma.

— Nous ferons semblant. Le gros de l'armée avancera vers l'ouest. Pendant ce temps, Kalanos, Daria, Dragma,

Uldin et Afer poursuivront leur route au sud avec la cavalerie, les archers et dix mille fantassins.

Il sourit à ses officiers :

– Arrivés à Luxinum, vous opérerez un mouvement tournant pour prendre les Romains à revers. Vous avancerez de nuit. N'allumez pas de feux. La surprise doit être complète.

– Complète !

Dragma sourit béatement. Afer tâte machinalement sa longue épée. Kalanos ameute déjà ses troupes.

Trois jours plus tard, à l'aube, l'armée de Lentulus subit le choc de soixante mille rebelles ivres de carnage. Le centre de l'armée romaine est enfoncé et les légionnaires se débandent. Quand Gellius vient au secours de Lentulus, il est trop tard. Ses légions sont prises dans la tourmente et il est attaqué à revers par la cavalerie d'Uldin, l'infanterie de Dragma et les archers de Daria.

À son tour, il fait sonner la retraite. La horde des esclaves s'élance sur l'armée en déroute. Elle harcèle les fuyards jusqu'au crépuscule. Mille soldats romains gisent sur le champ de bataille. Les rebelles les dépouillent de leurs armes et de leurs vêtements, s'emparent des provisions et des outils des légionnaires.

Victorieux, Spartacus décrète trois jours de festivités.

Les esclaves dansent et boivent autour des feux de joie.

– Il n'y a plus d'armée romaine ! rugit Kalanos.

Spartacus secoue la tête avec indulgence :

– Il y aura toujours des armées romaines. Rome les fait surgir de terre comme des épis de blé.

– Il y aura toujours des armées et toujours des esclaves, ajoute Marcus.

Kalanos brandit vers le ciel une coupe d'argent dont il s'est emparé au cours du pillage du camp de Gellius :

– Je le répète : marchons sur Rome ! Pas pour occuper la ville mais pour la brûler !

– La Sicile ! Vous oubliez la Sicile ! s'indigne Marcus.

Kalanos se dresse, titube, renverse du vin sur la tête des officiers qui le repoussent en riant. Il a revêtu l'armure et la cape rouge d'un légat, et porte au poignet une décoration sous la forme d'un bracelet d'or.

– Prends garde, chien de Romain ! gronde Brac en s'essuyant la barbe dégoulinante de vin.

– Spartacus, guide-nous vers le sud ! implore l'ivrogne.

Le chef des esclaves le force à s'asseoir.

– Après avoir brûlé Rome, ajoute Kalanos au milieu des rires.

Marcus secoue la tête avec anxiété :

– Pompée va revenir !

– Qui c'est, ça, Pompée ? s'écrie Uldin.

– Son épouse, glousse Vadomar.

– Tais-toi, maudit pirate ! ordonne Marcus en se drapant dans sa cape avec dignité. Pompée est un grand général.

– Spartacus est le plus grand de tous, dit Kalanos.

Marcus lève sa coupe d'une main tremblante :

– C'est vrai, Spartacus est invincible. Seule la foudre peut l'abattre.

– La foudre et le vin de Falerne, ajoute Kalanos en montrant le chef des esclaves étendu dans l'herbe.

— Du vin rouge et épais comme le sang des guerriers, murmure Spartacus.

Sa voix ensommeillée amuse ses fidèles. Ils rient, ils boivent, ils évoquent leurs combats.

Spartacus, moins ivre qu'ils ne le pensent, se relève. Il quitte en douce ses compagnons pour se promener d'un feu à l'autre. Dans la plaine, les esclaves célèbrent leur triomphe. La nuit est chaude ; le ciel constellé d'étoiles. Dès qu'ils l'aperçoivent, les hommes l'invitent à prendre place parmi eux. Les enfants s'accrochent à ses jambes. Il est leur chef, leur protecteur et, malgré son âge, leur patriarche. Il symbolise leur dignité et leur espoir. Ce rôle le flatte. Parfois, il l'inquiète. Tous ces réprouvés croient avoir conquis la paix et la liberté. Or il est bien placé pour savoir que leur bonheur est éphémère. Rome n'aura de cesse qu'ils ne soient détruits jusqu'au dernier.

En attendant, son armée se renforce chaque jour. Les recrues affluent : bergers des hauts pâturages, forçats des carrières de marbre, rameurs de Brindes, marqués par le fouet. Ils trouvent refuge auprès de lui. La plupart sont maigres et affaiblis. Mais ce sont des hommes rudes, des survivants, des combattants déterminés et sans pitié. Spartacus n'entend pas toujours leur langage. Certains ne parlent pas le latin ni le grec, pas davantage les dialectes celtes et germains. Cependant leurs regards se comprennent. Ils savent que le gladiateur ne les abandonnera pas. Ils aiment sa générosité et son courage, sa sévérité même, les qualités d'un chef de guerre capable d'enflammer ses hommes et de terroriser ses ennemis.

— Spartacus !

– Spartacus !

– Spartacus !

Ils prononcent son nom sur son passage comme une incantation. Lui se fond dans la nuit. Il va rejoindre Delia, sa compagne douce et violente, et partager ses rêves prophétiques.

Chapitre 16

Le territoire des hommes libres
juin 72 av. J. C.

La plus haute des six collines domine le golfe de Tarente et la cité de Thurii, au sud de l'Italie. La tente du chef des rebelles se dresse là, vigie et sanctuaire, enveloppée de tous les étendards pris à l'ennemi.

Spartacus tourne le dos à la mer et regarde la ville inondée par la lumière rouge du soleil levant. Après avoir traversé l'Apulie et la Lucanie, son armée s'est emparée sans résistance de Thurii, l'antique colonie grecque.

Ici, les gens n'aiment pas les Romains. Au début, la horde des esclaves les a terrifiés. Puis ils se sont rassurés : les rebelles obéissent aveuglément à leur chef. Spartacus fait régner parmi eux une discipline impitoyable. La violence, les pillages et les sacrilèges sont punis de mort. Moyennant quoi, les colons ont autorisé Spartacus et son peuple à s'installer dans la campagne avoisinante.

De grands troupeaux paissent dans les prairies. Les esclaves défrichent et labourent. Ils construisent des ponts et des granges.

De son observatoire, Spartacus voit une délégation de la cité gravir le chemin de la colline. Marcus marche à sa tête. Le précepteur se charge des relations avec les maîtres de Thurii. Son intelligence, son savoir et sa courtoisie inspirent confiance.

Le plus influent des six dignitaires conduits par Marcus se nomme Hélénos. C'est un homme riche, et sa fortune s'accroît chaque jour depuis l'arrivée des esclaves. En effet, pour nourrir et équiper son armée, Spartacus achète des vivres et du fer. Ces produits arrivent de Sicile, d'Afrique et de Grèce par bateaux entiers. Hélénos sert d'intermédiaire et prélève sa commission.

— Que devient ma commande ? questionne Spartacus après les salutations et les libations d'usage.

Hélénos fait l'étonné. C'est un homme au visage rond et au corps généreux. Pour rendre visite aux esclaves, il abandonne ses habits luxueux et revêt une toge usagée et des sandales de corde. Spartacus y voit une preuve de duplicité. Il se méfie du marchand.

— Les grains ont été livrés il y a six jours, comme convenu.

— Il ne s'agit pas du blé, mais du fer !

Hélénos lève les bras au ciel :

— Cinq cent mille livres de minerai ne voyagent pas aussi facilement.

— Ils voyageaient bien jusqu'à présent, remarque Spartacus d'une voix douce.

— C'est que les temps ont changé : la flotte romaine surveille les côtes.

Hélénos prend ses collègues à témoin :

— La semaine dernière, les Romains ont saisi l'un de nos navires. Ils nous soupçonnent de vous ravitailler.

— Je t'ai payé d'avance.

— Ce n'est qu'un contretemps ! Le fer sera livré, général.

— Ne m'appelle pas ainsi. Dis seulement Spartacus.

Hélénos, soudain nerveux, s'humecte les lèvres.

— Les Romains risquent de nous faire payer cher notre alliance.

— Veux-tu que j'exécute certains de tes concitoyens pour vous disculper ?

Hélénos rit un peu trop fort et ses amis font chorus. Cependant, ils n'en mènent pas large. Avec ce diable d'homme qui a mis en déroute six armées romaines, on peut s'attendre à tout.

— On n'abuse pas les Romains aussi facilement, surtout celui qui les commande aujourd'hui. Tu dois savoir que le Sénat a destitué les deux consuls que tu as vaincus pour nommer à leur place Marcus Licinius Crassus.

— Qui est Crassus ? demande Spartacus d'un ton négligent.

— Un homme immensément riche, dit Hélénos.

— Vous êtes donc faits pour vous entendre.

La voix d'Hélénos prend des accents tragiques :

— Crassus n'a que faire d'un petit marchand de mon espèce. S'il voulait, il pourrait m'acheter, moi, mes amis, et la province tout entière.

— Es-tu à vendre ?

Ignorant la plaisanterie, Hélénos explique :

— L'ambition de Crassus est sans limite. Il a été préteur, une fonction subalterne à ses yeux. Il veut conquérir le pouvoir. Le Sénat lui a octroyé dix légions et le titre de proconsul. Il fera tout pour vous détruire. Il sera bientôt là.

— Rassure-toi, nous n'y serons plus, répond Spartacus.

Il se détourne pour observer ses soldats à l'entraînement. L'inaction des derniers mois a émoussé leur combativité. Et ce ne sont pas les raids lancés contre les bourgades du Samnium et les riches villas de Lucanie qui ont ranimé l'ardeur de sa grande armée.

— Tu as bien organisé ton peuple, constate Hélénos.

« Mon peuple ! enrage Spartacus. Il s'imagine que je veux singer Crassus ! » Brusquement l'obséquiosité du marchand lui répugne.

– J'ai besoin de ce fer ! dit-il d'un ton menaçant.

– Tu l'auras.

– Quand ?

– Bientôt.

– Ce n'est pas une réponse. Crois-tu que ton ami Crassus patienterait ?

– Crassus n'est pas mon ami, soupire Hélénos. Et ce n'est pas moi qui transporte le minerai. Je ne suis qu'un intermédiaire.

– J'aurais dû m'adresser aux pirates, gronde Spartacus entre ses dents.

D'un geste, il congédie les dignitaires. Faute de fer, ses forges sont presque inactives. Elles se contentent de réparer les armes endommagées. Or il a encore des milliers de soldats à équiper. On ne combat pas des lances et des glaives avec des faux et des bâtons !

– Il n'est pas responsable du retard, souffle Marcus.

– Qui ça ?

– Hélénos.

La pensée de Spartacus est loin du marchand. Il s'inquiète :

– Quelles nouvelles des pirates ?

– Aucune pour l'instant, regrette Marcus.

– Que fait Vadomar ?

– Il est en mer. Réunir cinq cents navires présente bien des difficultés.

– Il devrait déjà être de retour, non ?

Marcus hésite avant de répondre. Il secoue la tête :

– Tu as eu tort de leur remettre ce trésor : cinq millions de sesterces !

— Ils en auront deux fois plus lorsque nous aborderons en Sicile.

— Ce sont des pirates. Je n'ai pas confiance en eux.

— Connais-tu un autre moyen de traverser la mer?

Marcus hausse les épaules.

— Nous devrons donc affronter ce Crassus avant notre départ, soupire Spartacus. Renseigne-toi sur son armée et son itinéraire.

— C'est déjà fait. Il se trouve à la frontière de la Campanie. Il avance lentement. Il faudra aussi bientôt compter avec Pompée. Il a battu Sertorius et reconquis l'Ibérie.

Spartacus incline la tête:

— Le temps n'est pas notre allié. J'espérais…

Il éclate d'un rire amer:

— J'ai l'habitude de compter sur mon épée plus que sur la chance!

Chapitre 17

Impitoyable
septembre 72 av. J. C.

Crassus a du mal à contenir sa fureur. Il sait fort bien ce qui s'est passé la veille, mais il veut entendre le récit du désastre de la bouche même du coupable.

— Nous étions à la hauteur d'Olmina, raconte Mummius d'une voix étranglée. Nous contournions les rebelles vers l'est, suivant tes instructions, quand nous avons aperçu une partie de leur armée. Elle était à notre merci.

— T'avais-je ordonné d'attaquer? demande Crassus.

— Non, général, mais…

— T'avais-je ordonné d'attaquer?

La voix du proconsul tremble de colère. Le légat courbe la tête :

— J'ai cru bien faire.

— En désobéissant! Sais-tu ce que me coûte ton erreur?

Crassus arpente sa tente, les mains nouées derrière le dos. L'échec lui est intolérable. Cette armée est la sienne. Ses soldats lui appartiennent comme les milliers de serviteurs qui peuplent ses domaines. Pour arracher le consentement du Sénat, il a payé la moitié de la campagne de ses propres deniers. Après avoir exagéré le danger couru par Rome, il s'est engagé à terminer la guerre en quelques mois. Et cet imbécile, cet incapable, vient d'essuyer une sanglante défaite propre à ternir sa réputation et à réjouir ses nombreux ennemis. Il entend d'ici le rire de Pompée, son rival.

— Combien de pertes? hurle-t-il.

— Je ne sais pas encore, articule Mummius.

— Tu mens! Mille morts et mille autres blessés. Deux mille! Deux mille pertes dès le premier affrontement. Tu es la honte de l'armée !

Mummius prend une grande inspiration avant de plaider :

— Nos éclaireurs avaient inspecté la zone. Ils estimaient notre adversaire à dix mille combattants. Ils étaient à notre portée quand Spartacus a surgi on ne sait d'où avec toute son armée…

— Spartacus !

Ce nom suscite la haine du proconsul. « Spartacus, un esclave, un rebut de l'humanité ! »

Crassus est un homme lourd et sanguin. Une cuirasse aux parements d'or serre son torse énorme comme un étau. Son visage respire la ruse et la cruauté.

Des esclaves comme ce Spartacus, il en a acheté et vendu des milliers. Ce trafic l'a enrichi presque autant que les dizaines d'immeubles qu'il loue à prix d'or au cœur de Rome, ou le rachat à vil prix des biens confisqués aux proscrits sous le gouvernement de Sylla, un dictateur qu'il voudrait bien imiter.

— Continue ! exige-t-il.

— Ils nous ont attaqués en masse sans souci des javelots, des flèches et des balistes qui les harcelaient. Ils étaient cinquante mille, davantage. Nos premiers rangs ont cédé sous le choc. Ils ont entraîné le reste de l'armée…

Crassus secoue la tête comme un animal furieux. Il écume.

— Ils n'ont pas assez peur !

Il fait taire Mummius qui veut poursuivre son récit.

— Assez ! Réunis tes hommes. Je les veux alignés en formation devant le camp dans une demi-heure. J'ai bien dit : une demi-heure.

— Bien, général !

Le légat heurte sa cuirasse de son poing ganté de cuir.

Les tribuns, réunis sous la tente, ont assisté à ce déchaînement de fureur sans prononcer une parole. Ils se méfient de Crassus. Le proconsul n'est certes pas un grand général, mais il est puissant et capable de tout.

Pour l'instant, il ferme les yeux et se recueille. Les officiers respectent son silence, même s'il s'éternise. Ils échangent des regards interrogateurs : « Que va-t-il faire ? »

Soudain, Crassus sort de sa torpeur et invite les tribuns à le suivre. Il saute en selle, traverse le camp et gagne le front des troupes. L'armée tout entière est alignée dans la plaine, les soldats de Mummius aux premiers rangs. Un silence de mort plane sur les légions.

Crassus gravit un tertre et saute à bas de sa monture. Un long moment il regarde les vaincus sans proférer une parole, puis sa voix rauque s'élève :

— Vous êtes la honte de Rome. Des lâches, des traîtres. Une bande d'esclaves vous a mis en fuite. Pour sauver votre misérable vie, vous avez déshonoré cette armée et mis votre patrie en danger. Cette conduite infamante va être sanctionnée comme elle le mérite. Et, désormais, tout manque de courage sera puni de la même manière. C'est à l'armée tout entière que je m'adresse.

— Quelle punition ? murmure Clodius, l'un des tribuns.

Ses collègues, Pretorius et Pacilius, font un signe d'ignorance. Crassus donne aux centurions des ordres qu'ils n'entendent pas.

Au signal de leurs chefs, cinq cents hommes s'avancent sur une seule ligne. Ce sont tous les *hastati*, premiers responsables de la panique qui s'est emparée des légions de Mummius. Les centurions les divisent en dix groupes.

— La décimation ! souffle Pretorius.

— C'est impossible, dit Clodius.

La condamnation à mort d'un fuyard sur dix est un châtiment abandonné depuis des siècles. Crassus a décidé de le remettre en vigueur.

Les centurions procèdent au tirage au sort de cinquante condamnés. Ceux qui sont désignés sortent du rang, résignés ou tremblants. Les milliers de légionnaires qui assistent à la punition heurtent leurs boucliers avec leurs glaives. Cette cadence lente produit un bruit impressionnant.

Les victimes, dépouillées de leurs vêtements, sont frappées de verges. Puis elles sont allongées sur le sol et décapitées à la hache. Leurs cadavres, traînés par des crocs à l'autre extrémité de la plaine, sont offerts aux corbeaux et aux vautours.

Les quatre cent cinquante soldats qui ont échappé à l'exécution capitale sont condamnés à demeurer hors du camp. Nourris de bouillie d'orge, ils sont astreints à des corvées dégradantes.

La cérémonie terminée, Crassus se retire sous sa tente. Les tribuns exhalent leur rancœur à voix basse.

— Tout ça pour une bande d'esclaves ! dit Clodius avec mépris.

— Ne les sous-estime pas, recommande Pretorius. Ces esclaves étaient jadis des soldats. Pour la plupart, ce sont des prisonniers de guerre.

— Autrement dit des vaincus, ricane Pacilius.

— Des vaincus qui viennent de battre les armées de

Rome à sept reprises, rappelle Pretorius. Tout ça grâce à Spartacus.

— Ma parole, on dirait que ce barbare t'inspire du respect !

— Du respect, non. De la méfiance. On dirait qu'il devine les desseins de ses adversaires. Il anticipe leurs actions et frappe le premier.

Pacilius montre la tente du proconsul :

— Prends garde que Crassus n'entende pas ton panégyrique.

Pretorius hausse les épaules :

— Il n'y a rien d'offensant à reconnaître la valeur d'un adversaire. Mieux vaut triompher d'un héros que d'un esclave !

Chapitre 18

Carnage
octobre 72 av. J. C.

Le sommet de la montagne, semblable à un casque de pierre, émerge des forêts noires dont elle est recouverte. Vue de la crête, à près de deux mille mètres, l'armée de Crassus, dans la plaine lointaine, fait penser à une colonie de fourmis. Une grande colonie : quarante-cinq mille hommes, sans compter les auxiliaires.

— Qu'est devenue la troupe envoyée en reconnaissance ? demande Spartacus.

Dragma continue de regarder l'armée romaine d'un air farouche. Il gronde :

— Anéantie ou presque : six mille morts, neuf cents prisonniers.

— Neuf cents !

Spartacus sursaute. Le nombre des prisonniers le heurte plus que celui des victimes. Les esclaves sont las des combats. Certains parlent de se rendre en dépit des supplices qui les attendent.

— Je leur avais conseillé de rester dans la montagne, s'emporte-t-il. L'hiver sera bientôt là. Les routes seront coupées, les sommets inaccessibles.

— Notre ravitaillement risque d'être difficile, fait remarquer Marcus. Si les Romains nous assiègent, comment survivrons-nous ?

Spartacus balaie l'objection :

— Pas question de nous laisser manœuvrer ! La montagne est un refuge provisoire en attendant l'arrivée des Ciliciens. J'ai rencontré le messager des pirates. Il m'a assuré que leur flotte était en route. Delia l'a vue en songe.

— Des centaines de voiles noires, confirme la jeune femme.

— Les voiles des Ciliciens ne sont pas noires ! s'exclame naïvement Afer.

— Les voiles romaines non plus, rassure-toi, raille Delia. Elles étaient noires dans mon rêve. Cette vision signifie que nous voguerons de nuit.

L'interprétation satisfait les hommes. Ils ont foi en Delia dont les prophéties se sont toujours réalisées.

— En attendant l'arrivée de la flotte, nous devons retenir Crassus, dit Spartacus. Si nous n'agissons pas, les Romains risquent de nous poursuivre et de compromettre l'embarquement de l'armée. Nous allons leur enseigner la prudence. Marcus, la carte !

Le précepteur déroule le plan de la région qu'il a dessiné avec précision. Il l'étale sur le sol et le fixe à l'aide de quatre pierres. Spartacus et ses lieutenants se penchent sur le document.

— L'affrontement aura lieu dans cette vallée, décrète Spartacus.

Kalanos lui lance un regard sceptique :

— Pourquoi ici précisément ?

— C'est l'endroit le plus favorable.

— Pas pour Crassus !

— Pour lui, c'est le plus logique compte tenu de sa position. Il est pressé. Il veut en finir avant l'hiver. La victoire qu'il a remportée lui a donné confiance. Il s'imagine que nous sommes un ramassis de bandes désordonnées.

— Il n'a pas tort ! glousse Kalanos.

— Les soldats de Crassus sont plus dangereux que ceux que nous avons affrontés jusqu'à présent, fait observer Marcus.

Spartacus secoue la tête :

— Ce sont les mêmes, mais leur discipline est plus

sévère. Crassus fait exécuter les fuyards.

— À ce rythme, il massacrera plus de Romains que nous, s'amuse Kalanos.

La plaisanterie, qui aurait amusé les rebelles quelques semaines auparavant, ne parvient pas à les dérider. Ils sont tous conscients de l'enjeu de cette bataille.

— Nous attaquerons de front, dit Spartacus. Un engagement massif et un retrait immédiat. La puissance des Romains vient de leur organisation. Notre force, c'est la mobilité. Après le choc, l'armée prendra la route du sud. Nous embarquerons à Rhegium, au bout de la péninsule. Une fois en Sicile, nous serons hors de portée.

L'évocation de la Sicile les rend tous rêveurs.

— Il y a, là-bas, trois cent mille esclaves.

— Trois cent mille alliés !

— Des réserves de vivres illimitées.

— La Sicile est un gigantesque grenier.

— Un paradis.

— Un pays libre.

Spartacus les ramène à la réalité :

— Préparez vos cohortes, vérifiez les armes, éloignez les femmes et les enfants. Qu'ils prennent la route. Toi, conduis les mineurs et les carriers sur ce versant rocheux. Qu'ils préparent le terrain pour une avalanche. Nous allons porter à Crassus un coup dont il se souviendra très longtemps. Quand il aura repris ses esprits, nous aurons disparu.

— Comme des fantômes, commente Dragma.

Spartacus fait un clin d'œil au Germain :

— Comme les guerriers d'Odin* chevauchant les nuées.

Le visage de Dragma s'illumine :

— Les héros du Walhalla*, le paradis des guerriers !

— Si mes calculs sont bons, ajoute Spartacus, Crassus sera là dans quatre jours, cinq au plus tard.

Une semaine après la réunion de l'état-major des rebelles, Crassus contemple la vallée d'Alba où s'est déroulée sa rencontre avec son adversaire. Le chaos qui s'étend sous ses yeux témoigne de la férocité du combat : la forêt incendiée, les armes brisées, les corps éventrés, écrasés, piétinés par les sabots, cette vision d'horreur évoque la prise de Troie.

Des deux côtés, les guerriers se sont battus jusqu'à la mort. Et, si les pertes des esclaves sont plus importantes que celles des Romains, l'armée de Spartacus s'est retirée sans panique. La victoire n'est donc pas acquise. Pourtant, Crassus sourit à ses tribuns. Il est si rare de voir cette expression sur le visage sombre et méprisant du proconsul que les officiers en sont ébahis.

— Beau combat ! s'écrie Clodius, qui arbore fièrement une blessure à l'épaule droite.

— On les poursuit, s'impatiente Pretorius.

Le sourire de Crassus s'épanouit. Il aime l'enthousiasme du tribun, mais il a autre chose en tête.

— Inutile, dit-il. Les esclaves ne tarderont pas à se rendre. Spartacus a commis une erreur : il se dirige vers le sud. Il est pris au piège dans la presqu'île de Rhegium. Nous allons les emprisonner dans l'isthme. Quand les loups auront faim, ils se montreront, et alors…

Il fait le geste de refermer sa main.

— Deux jours de repos avant le commencement des travaux. Je veux un mur d'une mer à l'autre. Convoquez les ingénieurs.

Il s'adresse à Clodius :

— Combien de prisonniers rebelles ?

— Une centaine, à peine, des blessés.

Crassus reporte les yeux sur le champ de bataille. Les esclaves ont lutté comme des lions. Il suffit de voir leurs dépouilles : aucun n'a été frappé dans le dos. Pas de fugitifs ! La guerre promet d'être plus longue que prévu, mais l'issue ne fait plus aucun doute.

Le proconsul foudroie du regard Pretorius qui se permet de suggérer un échange de prisonniers :

— Un Romain prisonnier ne mérite pas de vivre !

Chapitre 19

Trahison
novembre 72 av. J. C.

Delia ne dort plus depuis bientôt une semaine. Ses compagnons se demandent comment elle peut survivre à ce cauchemar éveillé. Elle a maigri, ses joues sont creuses, et ses yeux sont les braises d'un feu intérieur qui la consume. Lorsqu'elle les ferme, elle balbutie des paroles inintelligibles.

L'armée rebelle, épuisée, avance le long du rivage. Uldin, le Numide et Brac, le Germain, sont tombés au cours de la bataille d'Alba. Ceux qui les remplacent, Gannicus et Castus, sont courageux, mais imprévisibles et indisciplinés.

Spartacus chevauche en tête, infatigable et rassurant.

— Les hommes n'en peuvent plus, il faudrait faire halte, conseille Marcus.

Le chef des esclaves continue à scruter la mer sans lui prêter attention.

— Nous n'irons pas plus loin, aujourd'hui, insiste Marcus.

Spartacus talonne son cheval et prend ses distances. Il crie :

— Nous avons deux jours de retard. Tu as entendu Vadomar : la flotte est rassemblée.

Pour apercevoir l'horizon, il gravit un sentier sableux qui mène au sommet d'une petite falaise. Kalanos le rejoint. Mauvais cavalier, il jure après l'animal capricieux qui menace de le précipiter dans le vide. Après l'avoir maîtrisé, il annonce :

— Delia est muette.

— Je sais.

Le visage de Spartacus reste impassible. Cependant,

il ressent profondément les souffrances de sa compagne. Les prédictions de celle-ci l'ont guidé. À présent, la voix intérieure qui la conseillait s'est tue. Delia se sent abandonnée et le silence la laisse en proie à un vertige insupportable.

— Plus que vingt milles avant Rhegium, dit Spartacus. Nous camperons au-dessus de la ville.

— Où allons-nous débarquer, en Sicile ? demande Marcus.

— Près de Messine, comme prévu.

— D'après Vadomar, le gouverneur de l'île est en alerte. Il t'attend avec deux légions.

— J'ai soixante mille hommes.

Toujours cette assurance qui réconforte les plus anxieux. Spartacus semble se désintéresser de la question. Il contemple le ciel noir qui pèse sur le rivage. La mer est agitée. Un vent froid balaie les plages. Soudain, la pluie se met à tomber. Elle fouette les visages. Les guerriers baissent la tête. Les chariots s'embourbent. Les cris des hommes se mêlent aux hennissements des chevaux.

— Où est Crassus ? demande Dragma.

Spartacus montre le nord d'un geste vague :

— Loin d'ici.

— Sa défaite a dû le rendre méfiant !

Le chef des esclaves sait que Crassus n'a pas été vaincu et qu'il n'est pas d'un caractère prudent. Mais il se garde de contredire le Germain. Ses fidèles doivent garder confiance, surtout à la veille du passage en Sicile, qui présente bien des périls.

Ils poursuivent leur route dans la bonne humeur. L'orage

est parti comme il est venu. Le vent furieux disperse les derniers nuages et découvre le ciel d'un bleu éblouissant. Malgré le froid, le rivage prend un aspect printanier.

Sur la plage, Delia bavarde avec Melitta et Phryné. Leurs longues robes blanches, plaquées sur leurs corps par les rafales, leur donnent une allure de vestales. Spartacus pousse son cheval dans leur direction lorsqu'il est alerté par des clameurs venues de l'avant-garde. Il fait volte-face. À six cents pas de là, sur une crête, ses hommes, maintenant muets, ont le regard tourné vers l'ouest. Spartacus les rejoint et partage leur fascination devant le petit port de Rhegium et l'immense flotte ancrée le long du rivage.

— Les pirates ! exulte Afer.

— Ils ont tenu parole !

L'émotion noue la gorge de Dragma.

Les soldats, les femmes et les enfants, pressentant le prodige, se bousculent vers le sommet. En découvrant le merveilleux spectacle, ils se mettent à chanter et à danser. Ils montrent du doigt un horizon imaginaire, celui d'une île de rêve vers laquelle ils vogueront très bientôt.

— Montez les tentes, ordonne Spartacus. Cette nuit, nous camperons ici. Demain, nous gagnerons le port.

Les rebelles s'activent aussitôt. Ils ont oublié leur fatigue et leur anxiété. La nuit tombe. Des centaines de feux s'allument. Ils forment une longue traînée lumineuse qu'on doit apercevoir depuis la Sicile. L'air est embaumé par une odeur de viande grillée : les esclaves sacrifient leurs derniers moutons avant d'embarquer.

Spartacus ne songe pas à manger. Couché sur le sable

et recouvert d'une peau de loup, il admire le ciel étoilé. Son grand rêve se réalise enfin : dans quelques jours, il sera en Sicile. Une fois là-bas, les Romains auront du mal à l'atteindre. Il imagine déjà une stratégie pour empêcher le débarquement des renforts ennemis.

— La lune est voilée, murmure Delia, étendue à côté de lui.

— Tu crois que le temps va se gâter ?

— Je ne sais pas.

La voix de la jeune esclave est lointaine, détachée, résignée. Cette apathie ne ressemble pas à l'impétuosité naturelle de l'Ibère.

Bercés par le bruit des vagues, ils finissent par s'endormir avec des étoiles au fond des yeux. À l'aube, des cris les éveillent. Spartacus s'étire, regarde l'horizon, et bondit, hagard : devant lui, la mer est déserte. La flotte cilicienne a disparu au cours de la nuit.

En hâte, il réunit ses troupes. À la tête d'une centaine de cavaliers, il galope vers Rhegium. Aux abords de la cité, trois hommes viennent à sa rencontre. Vadomar chevauche en tête. Les émissaires des pirates, Argos et Eris, le suivent.

— Que se passe-t-il ? demande Spartacus avec sévérité.

— Les nôtres ont dû lever l'ancre. Une flotte romaine approche, dit Argos.

— Vous prétendiez ne pas redouter les Romains !

— L'escadre compte cinquante navires.

— Vous étiez dix fois plus nombreux.

— Ce n'est pas nous qui décidons, intervient Eris.

La main de Spartacus se crispe sur la poignée de son glaive :

— Vous êtes mes débiteurs. C'est à vous que j'ai remis cinq millions de sesterces, si j'ai bonne mémoire. Une fortune acquise au prix du sang de mes compagnons. Qu'en avez-vous fait ?

— Nos frères vont revenir, assure Argos.

— Quand ?

Le pirate montre le ciel d'une main désinvolte :

— Je l'ignore.

Spartacus s'adresse à Vadomar :

— Ton avis ?

— Nous sommes trahis ! grince l'ancien pirate. Nous avons eu tort de les payer. Ces charognards gardent l'or et nous laissent à la merci de nos ennemis.

Il crache sur le sol :

— Ils sont pires que les Romains !

Spartacus désigne du doigt les deux émissaires :

— Emparez-vous de ces traîtres !

— J'ai rempli ma mission, proteste Eris. Nos frères nous ont abandonnés, tout comme toi.

— Je te crois, dit Spartacus. Aussi, rassure-toi, vous ne serez pas crucifiés.

Il se tourne vers ses hommes :

— Qu'on leur coupe la tête !

Chapitre 20

Le piège
décembre 72 av. J. C.

Le mur se dresse d'une mer à l'autre. Il barre la presqu'île de Rhegium sur une longueur de quarante milles, et enferme l'armée rebelle dans une nasse.

Spartacus a tenté de franchir le rempart à huit reprises. Chaque fois, l'armée de Crassus l'a repoussé. Malgré les intempéries et le harcèlement de leurs ennemis, les légionnaires ont édifié les fortifications en neuf semaines à peine. Celles-ci comprennent un fossé de cinq mètres de large et cinq mètres de profondeur, et un remblai surmonté d'une solide muraille.

— Nous n'arriverons pas à passer ! soupire Kalanos.

Son air résigné révolte Spartacus :

— Tu veux te rendre ?

— Et toi ?

Ils se défient du regard. Marcus s'interpose :

— Si Crassus vous voyait, il triompherait.

— Excuse-moi, dit Kalanos, maussade.

Spartacus hoche la tête :

— Si toi aussi tu abandonnes, alors il n'y a plus d'espoir.

— Essayons de passer par la mer ! suggère Argétorix.

Afer hausse les épaules :

— Avec trois bateaux ?

— Construisons des radeaux.

— Nous l'avons fait. La dernière tentative a coûté des centaines de vies.

— Attendons la nuit.

— Les feux des Romains brûlent d'un rivage à l'autre. Si on les éteint, ils savent où nous allons attaquer. Si on ne le fait pas, ils nous voient approcher. Impossible de les surprendre.

Dragma montre trois croix dressées face au mur :

– Tu n'aurais pas dû supplicier ces Romains. Ces exécutions n'inciteront pas Crassus à négocier.

Le visage de Spartacus prend une expression farouche :

– Ce n'est pas à lui que s'adresse ce message, mais aux nôtres. Ils doivent savoir ce qui les attend en cas de reddition.

– Tu te figures qu'ils l'ignorent ?

– Certains sont assez fous pour espérer une mesure de clémence de la part d'un homme qui ordonne le supplice de ses propres soldats.

– Et toi, qu'espères-tu ? demande Oppius.

– Une occasion.

Pour la première fois, les officiers regardent leur chef avec un sentiment proche de l'animosité. Ils le rendent responsable de la situation dramatique où ils se trouvent. C'est lui qui les a conduits dans le piège où leurs hommes se débattent et se déchirent comme des fauves en cage.

– Cette nuit, j'ai rêvé d'un champ de blé aux épis d'or, ajoute Spartacus. Delia y voit un présage de liberté.

L'attitude des esclaves reste hostile. Les prophéties de Delia, ils ont cessé d'y croire. En fait de champs de blé, ils ne voient autour d'eux qu'un pays inculte balayé par les vents de l'hiver. Les troupeaux ont disparu depuis longtemps. Les greniers de Rhegium sont vides. La flotte romaine fait le blocus des côtes et interdit l'approvisionnement en provenance de Sicile. La pêche procure de quoi nourrir quelques centaines de personnes quand les affamés se comptent par dizaines de milliers.

– Patience !

Le conseil révolte les onze lieutenants aux abois. Ils s'éloignent en échangeant des propos acerbes à voix basse.

— Ils n'en peuvent plus, soupire Marcus.

Il sent sur lui le regard de Spartacus. Les yeux du chef de la révolte sont injectés de sang. La maigreur sculpte son visage. Il se prive plus encore que les autres. Il dort peu et passe la plus grande partie de son temps devant le fossé, abîmé dans une réflexion amère. Sa bonne étoile semble l'avoir abandonné. Ses hommes meurent de faim. Mais, quoi qu'il arrive, il ne se soumettra jamais. Il mourra les armes à la main comme Crixus, Œnomaüs, Uldin et Brac.

Marcus montre le rempart :

— Crassus a bien manœuvré !

— Bien manœuvré ? Parce qu'il a construit un mur ? explose Spartacus. Un instrument de lâche !

— Inutile de t'en prendre à moi, dit Marcus. Ce n'est pas moi qui t'ai amené ici. Je t'avais conseillé la prudence…

— Assez de conseils ! ordonne Spartacus. Puisque tu es si intelligent, trouve un moyen de sortir de ce piège.

— Il faudrait créer une diversion.

— Quelle diversion ?

— De multiples attaques simultanées.

— Nous l'avons tenté, sans résultat : ils ont des tours de guet tous les cent mètres et des cohortes mobiles. Ils peuvent intervenir en quelques minutes. Il nous faut davantage pour franchir l'obstacle. Du fond de la tranchée au sommet du mur, il y a plus de dix mètres. Dès que nos échelles sont en place, les Romains déversent de l'huile qui transforme nos guerriers en torches vivantes. Il faudrait combler cette maudite tranchée. Ça aussi nous l'avons tenté : nos hommes sont la cible de leurs archers.

– À t'entendre, il n'y a pas de solution.

Contre toute attente, Spartacus sourit :

– Il y a toujours un espoir.

– Le retour des pirates ?

– Les pirates ne reviendront pas. L'espoir n'est pas un songe, c'est une arme.

Il montre ses soldats affamés :

– Ils croient l'avoir perdu. Ils se trompent : les réflexes de survie reviennent comme les techniques de combat dans l'arène. On oublie la peur, les cris, la haine. Il n'y a plus, soudain, que cette lame de fer qui nous rattache à la vie.

Quand il évoque les combats pour la liberté, le visage de Spartacus est empreint d'une beauté sauvage. L'émotion s'empare de Marcus :

– Tu es l'incarnation de l'honneur et du courage !

Spartacus éclate d'un rire amer :

– Ce n'est pas ça qui nourrit mes hommes. Et, pour l'instant, je vois autour de moi plus de ventres que de cœurs !

Chapitre 21

La tempête
janvier 71 av. J. C.

La neige a commencé à tomber dès le lever du soleil. Lourde, épaisse, obstinée, elle recouvre la forêt, le fossé et le mur, et adoucit les lignes du champ de guerre.

Vers le soir, un vent violent se lève, apportant une neige dure qui s'accumule sur les fortifications et noie les feux romains. Les guetteurs, aveuglés, ne distinguent plus l'enceinte. Un casque de glace se forme sur leur casque de fer. Leurs bottes glissent sur le sol gelé. Les rafales hurlantes emportent les cris des sentinelles.

— C'est le moment, dit Spartacus.

Toute la journée, des milliers d'hommes, cachés dans la forêt, ont préparé l'assaut. Une première vague transporte des branches et les jette dans le fossé. Elle est suivie d'une deuxième chargée de sacs de terre. Les esclaves la déversent et tassent le sol. La neige épaisse étouffe les bruits. Sur une longueur de deux cents pas, la tranchée est comblée.

Soudain, des lueurs dansent le long du mur. Les rebelles se couchent et restent immobiles. Des Romains passent, munis de torches. Ils s'éloignent, malmenés par la tempête. L'obscurité revient. Au signal, les esclaves se dressent. L'instant est venu.

— Les échelles ! commande Spartacus.

L'ordre se transmet d'une cohorte à l'autre. Trente échelles sortent de la forêt et se dressent contre le mur d'enceinte. De l'autre côté, tout est calme. Sur les tours, les guetteurs luttent contre les rafales. En bas, dans leurs tentes à moitié enfouies sous la neige, les légionnaires se chauffent autour de leurs braseros.

Les esclaves ont endossé des fourrures et enveloppé

leurs armes pour éviter de réveiller leurs ennemis. Certains escaladent les tours, d'autres se glissent dans les tentes. En quelques minutes, les postes de garde sont neutralisés. Les hurlements de la tempête étouffent ceux des victimes. La voie est libre.

Une torche, agitée au sommet d'une tour, donne le signal. Les rebelles s'avancent en bon ordre. Ils gravissent les échelles dans le plus grand silence. Les officiers regroupent les escouades. Les rebelles marchent en files serrées jusqu'à l'aube pour mettre le plus de distance possible entre eux et l'armée ennemie.

Lorsque le jour paraît, ils se regroupent dans une vallée, à des milles au nord. La tempête s'est apaisée. Le soleil perce les nuages, révélant un paysage d'une blancheur éblouissante. Ils sont trente mille. Une armée épuisée et triomphante.

Spartacus circule parmi eux. Il salue ses fidèles, Kalanos, Oppius, Afer, Dragma, Marcus. Beaucoup de femmes, d'enfants et de blessés sont restés pris au piège. Cependant, les guerriers continuent à franchir l'enceinte. Ils rejoignent l'armée par petits groupes. D'autres errent dans la montagne à la recherche de leurs compagnons.

– Où allons-nous ? demande Dragma.

Spartacus indique les monts Alba :

– Là-haut, d'abord, puis nous marcherons vers l'est.

Aucun ne songe à contester sa décision : une fois de plus, Spartacus a fait preuve de sagacité. Il a attendu l'instant favorable et sa patience a payé.

Vers midi, les colonnes progressent en direction de la montagne. Le froid, de plus en plus intense, durcit le sol.

Après une heure de marche, elles traversent une voie romaine. Les éclaireurs signalent un convoi à quelques milles au nord.

— Cinquante hommes avec moi ! clame Spartacus.

Il se rend à l'endroit indiqué et découvre une caravane romaine. Surpris par la tempête, vingt chariots de ravitaillement sont prisonniers de la glace. À la vue des rebelles, les soldats de la petite escorte prennent la fuite. Plus légers, les esclaves les rejoignent. Le combat est bref. En quelques minutes, le sang des légionnaires macule la neige.

Aussitôt, les hommes de Spartacus fouillent sous les bâches.

— Crassus est généreux ! braille Dragma en brandissant une amphore.

Spartacus, lui, se préoccupe des chevaux. Son armée a laissé les siens à Rhegium. Les quarante bêtes de trait sont vigoureuses. Spartacus ordonne à ses soldats de les dételer. Il choisit le sien, un cheval noir au large poitrail.

— Il nous en faudra d'autres, et rapidement, dit-il.

La cavalerie joue un rôle essentiel dans sa stratégie.

— Envoyons une commande à Crassus ! plaisante Kalanos, occupé à dévorer un quartier de viande fumée.

Spartacus lui adresse un regard réprobateur :

— Tu n'es pas seul à être affamé. Il faut partager !

— Même le vin ? ricane Dragma entre deux goulées.

Spartacus ne relève pas la plaisanterie. Il pense à Crassus, dont il ignore la position. Le proconsul peut surgir d'une heure à l'autre.

— En route, pressons !

Ses hommes chargent à la hâte les vivres sur les che-